Declínio de um homem

Osamu Dazai

Declínio de um homem

Tradução do japonês

Ricardo Machado

14ª edição

Estação Liberdade

Título original: *Ningen Shikkaku*
© Editora Estação Liberdade, 2015, para esta tradução

Revisão da tradução	Rita Kohl
Revisão	Huendel Viana
Composição	Alex Andrade
Ideogramas à p. 7	Hisae Sagara
Imagem de capa	Goshun Matsumura, "Cherry Blossoms", rolo vertical, tinta e cor sobre papel, século XVIII / Acervo de The Metropolitan Museum of Art
Imagem de quarta capa	Horace Bristol/CORBIS/Latinstock
Editor de arte	Miguel Simon
Editor assistente	Fábio Fujita
Editores	Angel Bojadsen e Edilberto F. Verza

CIP-BRASIL. CATALOGAÇÃO NA PUBLICAÇÃO
SINDICATO NACIONAL DOS EDITORES DE LIVROS, RJ

D318d

    Dazai, Osamu, 1909-1948
        Declínio de um homem / Osamu Dazai ; tradução Ricardo Machado. São Paulo : Estação Liberdade, 2018.
    152 p. ; 21 cm.

    Tradução de: Ningen shikkaku
    ISBN 978-85-7448-244-6

    1. Romance japonês. I. Machado, Ricardo. II. Título.

18-52615   CDD: 895.63
                    CDU: 82-31(520)

Vanessa Mafra Xavier Salgado - Bibliotecária - CRB-7/6644
18/09/2018   21/09/2018

Nenhuma parte da obra pode ser reproduzida, adaptada, multiplicada ou divulgada de nenhuma forma (em particular por meios de reprografia ou processos digitais) sem autorização expressa da editora, e em virtude da legislação em vigor.

Esta publicação segue as normas do Acordo Ortográfico da Língua Portuguesa, Decreto nº 6.583, de 29 de setembro de 2008.

Editora Estação Liberdade Ltda.
Rua Dona Elisa, 116 — Barra Funda — 01155-030
São Paulo – SP — Tel.: (11) 3660 3180
www.estacaoliberdade.com.br

Sumário

Prólogo	11
Primeiro caderno	17
Segundo caderno	35
Terceiro caderno	83
Parte um	85
Parte dois	115
Epílogo	143

Prólogo

Vi três fotos daquele homem.

Na primeira, uma fotografia de infância, ele aparenta ter por volta de 10 anos, de pé, à beira do lago de um jardim, cercado por várias meninas (imagino que fossem suas irmãs e primas), vestindo um *hakama*[1] de listras largas, com a cabeça inclinada cerca de trinta graus à esquerda, mostrando um sorriso feio. Feio? Não é dizer que não existisse no sorriso daquele menino uma sombra do que se chama de "gracioso", suficiente para que pessoas insensíveis (ou seja, indiferentes à estética) fizessem, sem muito interesse, algum comentário vago — "que menino bonitinho, não é?" — e isso não soasse como um elogio totalmente vazio. Contudo, qualquer um com alguma experiência com a estética, por menor que seja, ao olhar essa foto provavelmente murmuraria com enorme desagrado, "que criança horrorosa!", e a lançaria para longe, como quem afasta uma taturana.

De fato, quanto mais olho para o sorriso daquele menino, mais desconfortável me sinto. Em primeiro lugar,

---

1. Peça do vestuário formal japonês; uma espécie de calça, amarrada na cintura e bastante larga nas pernas. [N.T.]

isso não é um sorriso. O menino não está sorrindo nem um pouco. A prova disso é que ele está parado apertando ambos os punhos com força. Nenhum ser humano consegue sorrir apertando os punhos desse jeito. É um macaco. É o sorriso de um macaco. Está apenas franzindo o rosto de forma grotesca. "Que menino encarquilhado!", é o que dá vontade de dizer diante dessa expressão tão esquisita, até mesmo obscena, do tipo que deixaria qualquer um estranhamente nauseado. Eu nunca havia visto um menino com uma expressão tão desconcertante.

Já na segunda foto, sua aparência está tão transformada que causa espanto. É um estudante. Talvez de ensino médio ou universitário, não há como saber ao certo, mas é um estudante extremamente belo. Contudo, também essa foto, inexplicavelmente, não passa a menor impressão de se tratar de um ser humano vivo. Ele veste o uniforme escolar, com um lenço branco saindo do bolso do peito, e está sentado de pernas cruzadas em uma cadeira de vime, novamente sorrindo. O sorriso agora não é mais aquele sorriso enrugado de macaco como antes, e sim um sorriso agradabilíssimo. Mas, por algum motivo, não parece o sorriso de um ser humano. Sua expressão não tem nem, digamos, o peso do sangue, nem a austeridade da vida, nada, nem um pouco dessa sensação de completude; é leve, não como uma ave, mas como uma pluma, uma folha de papel em branco, e está sorrindo. Em suma, passa uma impressão de artificialidade do início ao fim. Se dissesse se tratar de afetação, não bastaria. Se dissesse se tratar de superficialidade, não bastaria. Se dissesse se tratar de efeminação, não bastaria. Se dissesse se tratar de elegância, é claro que não bastaria. Além disso, olhando-o com cuidado, há algo também nesse belo estudante que provoca uma sensação desagradável, como uma história de terror. Nunca havia visto um jovem com uma beleza tão estranha.

A terceira foto é a mais estranha de todas. Não sei dizer ao certo quantos anos ele devia ter ali. Seus cabelos parecem um pouco grisalhos. Está no canto de um quarto muito sujo (a foto mostra claramente a parede do quarto rachada em três lugares), aquecendo as mãos em um pequeno braseiro, e dessa vez não sorri. Não tem expressão nenhuma. Para ser mais exato, é uma foto realmente repugnante, sinistra, como se, sentado com as mãos sobre o braseiro, ele estivesse morto. Mas o estranho não é somente isso. Nessa foto seu rosto está um pouco maior, então pude estudar em detalhes sua estrutura, mas sua testa era comum, as rugas ali também comuns, seus ombros comuns, seus olhos comuns, seu nariz, sua boca, seu queixo. Ah!, esse rosto não só não tem expressão, como nem ao menos deixa alguma impressão ao ser visto. Não tem nada de característico. Por exemplo, se observo a foto e fecho os olhos a seguir, no mesmo instante já me esqueci do rosto. Lembro do quarto, da parede, do braseiro, mas a impressão do rosto do personagem dentro do quarto desvanece, e não consigo lembrar dele por mais que tente. É um rosto que não poderia ser desenhado. Que não poderia se tornar nem mesmo uma caricatura. Abro meus olhos. Não sinto nem mesmo a alegria de um "Ah, então era assim o seu rosto, lembrei". Sendo um pouco extremo, diria que mesmo olhando para a foto, talvez não lembre de seu rosto. E, sentindo-me apenas incomodado e enojado, tenho vontade de desviar os olhos.

Até mesmo o rosto de um moribundo teria mais expressão, despertaria mais impressões; talvez se colocassem a cabeça de um cavalo no corpo de uma pessoa o resultado fosse semelhante. De todo modo, a foto causa espanto ou náusea a quem a vê. Certamente, nunca vi um homem com um rosto tão desconcertante.

Primeiro caderno

Vivo uma vida repleta de vergonha.

A vida humana é algo que não consigo entender. Tendo nascido no interior do Nordeste, já era um menino crescido quando vi um trem a vapor pela primeira vez. Eu subia e descia pela passarela da estação, sem perceber que ela era uma maneira que as pessoas tinham para passar por cima dos trilhos do trem. Achava que aquilo havia sido instalado ali para transmitir uma ideia ao mesmo tempo de complexidade e descontração, de sofisticação, como se o prédio da estação fosse um parque de diversões estrangeiro. Passei muito tempo acreditando nisso. Subir e descer a passarela era para mim, antes de tudo, uma brincadeira refinada, e achava que, dentre os serviços prestados pela companhia ferroviária, aquele era o mais elegante. Mais tarde, quando descobri que aquilo não passava de uma escada de uso prático para que os passageiros passassem por cima dos trilhos, meu interesse desapareceu instantaneamente.

E, ainda criança, quando via o desenho do metrô num livro ilustrado, não achava que aquilo fosse algo inventado em função de necessidades práticas, mas sim porque andar em trens que correm sob a terra era uma brincadeira mais divertida e excêntrica do que andar naqueles que ficavam acima dela.

Por ter uma saúde debilitada quando criança, eu vivia de cama e, deitado, pensava que lençóis, fronhas e capas de almofadas eram adornos muito sem graça, até que, com quase 20 anos de idade, descobri que são acessórios práticos e fiquei decepcionado com o comedimento humano.

Eu desconhecia o que era sentir fome. Não quero dizer com isso que venho de uma família abastada, não é nesse sentido idiota, mas eu desconhecia por completo qual é a sensação de ter o estômago vazio. Pode parecer estranho dizer assim, mas, mesmo que estivesse com fome, eu não percebia. Quando voltava da escola primária e, mais tarde, do ginásio, me recebiam dizendo: "Você deve estar com fome! Sabemos como é isso, a fome aperta no caminho da escola para casa! Quer feijão doce? Tem *castela*[2] e pão também, viu?" Para mostrar o espírito bajulador que me é natural, eu sussurrava "que fome!", apanhava uns dez feijões doces e socava na boca, sem jamais ter sabido o que era estar de estômago vazio.

É óbvio que eu comia muito, entretanto, não tenho praticamente lembrança nenhuma de precisar comer para saciar a fome. Quando achava que algo era raro, comia. Quando achava que algo era luxuoso, comia. Também quando saía de casa, me forçava a comer tudo o que me ofereciam, até não poder mais. E assim, os momentos

---

2. Bolo muito macio, bastante apreciado no Japão, semelhante ao pão de ló. [N.T.]

mais penosos da minha infância, na realidade, eram as refeições familiares.

Na minha casa no interior, as cerca de dez pessoas da família sentavam-se em frente a suas respectivas mesinhas de refeição, dispostas em duas fileiras postas frente a frente, sendo que o filho mais novo, eu, sentava-se obviamente no assento mais distante. Durante a hora do almoço, todos os dez membros da família comiam em sepulcral silêncio, naquele recinto sombrio que me dava arrepios. Além do mais, como era uma casa do interior, conservadora, os pratos servidos eram quase sempre os mesmos, e ninguém deveria esperar iguarias raras ou refinadas. Mais e mais eu temia a hora das refeições. Tremendo de frio em meu assento naquela sala escura, pegava pequenas porções de comida e as enfiava na boca, perguntando-me por que as pessoas precisavam comer três vezes por dia. Chegava a pensar se aquilo não seria só uma espécie de cerimônia, em que três vezes por dia a família decide um horário para se reunir num quarto escuro, enfileirar mesinhas de refeição e, mesmo sem vontade, comer de olhos baixos, em absoluto silêncio, talvez como uma forma de orar pelos espíritos que perambulam pela casa.

A frase "Se você não comer, você morre" sempre soou para mim como uma ameaça detestável. Essa crendice (ainda hoje me parece que isso não passa de crendice), contudo, sempre me inspirou receio e medo. "As pessoas trabalham para ganhar seu pão, pois se não comem, morrem." Para mim, não havia frase mais obscura, difícil de entender e, ao mesmo tempo, que soasse mais ameaçadora do que essa.

Em resumo, eu ainda não compreendia nada sobre as ocupações das pessoas. O receio de que a minha noção de felicidade estivesse totalmente em desacordo com a noção de felicidade do resto das pessoas fazia com que, noite após noite, eu me revirasse de um lado para o outro na cama, gemendo, quase a ponto de enlouquecer. Será que eu era feliz? Desde pequeno eu era chamado frequentemente de pessoa afortunada, ainda que me sentisse sempre no meio do inferno. Que ironia, sempre achei que as pessoas que me rotulavam daquele jeito pareciam ser muito, mas muito mais afortunadas do que eu.

Chegava a pensar que sobre mim havia recaído um fardo de dez desgraças e que, se apenas uma delas fosse repassada ao meu vizinho, seria suficiente para matá-lo.

Eu simplesmente não entendo. Sou absolutamente incapaz de estimar a natureza e o grau do sofrimento alheio. Sofrimentos práticos, que seriam resolvidos com um mero prato de comida, mas que talvez sejam justamente as danações mais intensas, como um inferno em chamas, que reduziriam a pó as minhas dez desgraças. Não sei. Contudo, se essas pessoas não se suicidam, não enlouquecem, se discutem sobre partidos políticos, se não perdem as esperanças e seguem lutando sem se curvar, então não estão sofrendo, certo? Teriam essas pessoas se tornado tão egoístas que não só não percebem o próprio egoísmo, como chegam mesmo a achar que é algo normal, sem nunca duvidar de si mesmas? Se for assim, é fácil. Mas será que todas as pessoas são assim mesmo, será isso o melhor que se pode esperar dos seres humanos? Não sei...

À noite, dormem confortavelmente e, pela manhã, talvez

acordem alegres. Que sonhos terão sonhado? No que será que pensam enquanto andam pelas ruas? Em dinheiro? Não pode ser apenas isso. Tenho a impressão de já ter ouvido a teoria de que o ser humano vive para poder comer, mas a de que vive pelo dinheiro, acho que nunca ouvi, não, se bem que, dependendo... Não, também não entendo isso. Quanto mais penso, menos consigo entender, e vivo sempre assolado pela ansiedade e o medo de ser o único destoante por completo. Eu quase não consigo falar com meus próximos. Simplesmente não sei o que dizer e tampouco como dizê-lo.

A minha solução para isso foram as palhaçadas.

Esse foi meu último recurso para angariar o amor dos seres humanos. Eu temia as pessoas no mais elevado grau, mas mesmo assim não conseguia abandoná-las de modo algum. Fazendo palhaçadas, eu conseguia me ligar, pelo menos um pouco, às pessoas. Ainda que carregasse um sorriso permanente no rosto, era um esforço constante que parecia sempre prestes a fracassar, e cuja árdua execução me fazia suar aos borbotões.

Desde criança eu não tinha noção de como devia ser o sofrimento das outras pessoas, ou o que elas pensavam, nem mesmo em relação aos membros de minha própria família. Sentia apenas medo e, sem suportar aquele ambiente pesado, me tornei um grande palhaço. Antes que qualquer um percebesse, eu já havia me tornado o tipo de garoto que não diz nada que possa ser levado a sério.

Quando vejo as fotos que tirei com minha família nessa época, percebo que, enquanto todos estão com semblantes compenetrados, apenas eu estou sempre com o rosto retorcido num sorriso esquisito. Era uma das facetas de minhas patéticas artimanhas infantis.

Mesmo quando algum parente ralhava comigo, eu jamais respondia. Recebia qualquer pequena reprovação como um trovão que reverberava a ponto de me deixar atônito. Longe de querer responder a uma reprimenda, achava que aquilo era sem dúvida a voz da "Verdade" humana fazendo-se ouvir ao longo dos séculos, e que talvez, se eu não era capaz de agir de acordo com essa verdade, eu estava desqualificado para viver em sociedade. Por esse motivo, não conseguia discutir, nem me justificar. Sempre que ouvia alguma crítica, acreditava que, de fato, eu tinha entendido tudo completamente errado, e recebia o impacto em silêncio, enquanto por dentro o medo quase me fazia perder a cabeça.

É bem provável que ninguém se sinta bem quando é criticado ou é alvo da ira de outra pessoa, mas eu vejo no rosto daqueles que se irritam comigo uma expressão selvagem, mais assustadora do que de qualquer leão, dragão ou crocodilo. Normalmente, as pessoas escondem essa índole inata, mas quando alguma coisa acontece, a verdadeira face humana se revela pelo ódio de modo repentino, como quando uma vaca que dorme tranquilamente no campo mata de súbito, com um golpe de rabo, uma mosca que pousou em sua barriga. Esses momentos faziam com que o medo voltasse a me assombrar, me deixando de cabelos arrepiados, e quando pensava que essa índole inata talvez fosse uma condição para as pessoas sobreviverem, eu acabava tomado pelo desespero.

Sempre tremia de medo das demais pessoas e nunca tive sequer uma migalha de autoconfiança em relação às minhas palavras e aos meus atos como ser humano. Guardava minhas angústias em uma pequena caixa dentro do peito e, escondendo com discrição minha tristeza profunda e meu nervosismo, aperfeiçoei-me em ser um personagem excêntrico e brincalhão, permanentemente revestido de um otimismo inocente.

"Se eu fizer as pessoas rirem, não importa como, ficará tudo bem. Fazendo isso, elas talvez não se importem com o fato de eu estar fora da tal 'vida cotidiana'. De qualquer maneira, não posso ser um estorvo para os humanos: devo ser o nada, o vento, o céu", pensava. E conforme esses pensamentos se intensificavam, mais eu fazia minha família rir e me esforçava para entreter até mesmo os criados, pessoas ainda mais assustadoras e incompreensíveis.

Certa vez, no verão, andava pelo corredor vestindo um suéter vermelho de lã por baixo do *yukata*[3], fazendo todos rirem. Até mesmo meu irmão mais velho, que raramente ria, disse com um amável tom de voz:

— Yo-chan! Isso aí não combina!

Óbvio que eu não era um tipo tão insólito que desconhecesse o frio e o calor e andasse por aí de suéter de lã em pleno verão. A verdade é que eu havia pegado as polainas de minha irmã mais velha e enfiado nos braços, deixando aparecer pelas mangas do *yukata*, o que dava a impressão de que eu vestia um suéter.

Meu pai, por ter de ir com frequência a Tóquio, tinha uma casa no bairro de Sakuragi-cho, em Ueno, onde passava a maior parte do mês. Quando retornava para nossa

---

3. Quimono leve de algodão, usado no verão ou como robe de banho. [N.T.]

casa, trazia muitos presentes para a família, e até mesmo para parentes mais distantes. Talvez isso fosse um tipo de passatempo para ele.

Certa noite, antes de ir para Tóquio, meu pai reuniu a mim e meus irmãos na sala de visitas e, sorrindo, perguntou a cada um de nós que presente gostaríamos de receber, anotando cada uma das respostas na agenda. Era raro papai nos tratar com tanta afeição.

— Yozo, o que você quer? — perguntou ele. Eu engasguei.

Foi só ele me abordar a respeito, que imediatamente não desejei mais nada. Qualquer coisa, tanto faz, não tem nada que me divirta mesmo, foi o que me passou pela cabeça. Ao mesmo tempo, eu não conseguia recusar algo recebido de outra pessoa, por mais desagradável que fosse. Não conseguia dizer quando não gostava de algo e, mesmo se gostasse, hesitava como quem rouba, sentindo um amargor intenso e um pavor inexplicável que me fazia tremer. Ou seja, eu não tinha nem ao menos a capacidade de escolher entre duas opções. Creio que, mais tarde, essa minha característica tenha sido uma das grandes causas do que chamo de "vida repleta de vergonha".

Como fiquei petrificado e hesitante, meu pai fez uma cara de enfado e se antecipou:

— Um livro, então, como sempre? Ou que tal aquele *shishimai*, a máscara de leão para a dança dos leões de Ano-Novo? Estavam vendendo nas lojas de lembranças do templo de Asakusa. Tem uns grandes, para que as crianças possam enfiar a cabeça e brincar. Você quer?

Quando ele perguntou se eu queria, foi o fim. Nem consegui pensar numa resposta bem-humorada. O papel de palhaço desmoronou.

— Você prefere livros, não? — disse meu irmão mais velho, com o semblante sério.

— Ah, sei — fez meu pai, desanimado, sem nem ao menos fazer menção de registrar na agenda, que ele fechou de forma ruidosa.

Que desastre. Eu irritara meu pai e, sem sombra de dúvida, sua vingança seria terrível. Haveria tempo de tentar remediar? — pensava eu, tremendo, embaixo das cobertas. Levantei-me e fui sorrateiramente até a sala de visitas. Abri a gaveta da escrivaninha, onde ainda há pouco meu pai guardara a agenda, e a peguei. Procurei a lista de presentes, molhei com saliva o pincel e escrevi "*SHISHIMAI*", indo dormir logo em seguida. Não queria nem um pouco a máscara de leão. Contudo, ao me dar conta de que era meu pai que queria comprá-la para mim, obedeci à intenção dele e, desejando apenas melhorar seu humor, empreendi aquela ousada aventura na calada da noite.

Essa minha atitude desesperada mostrou-se muito bem-sucedida, conforme planejei. Tempos depois, quando meu pai retornou de Tóquio, do quarto das crianças pude ouvi-lo contando o caso para minha mãe:

— Quando abri esta agenda na loja de brinquedos de *Naka-mise*[4]... Veja só, está escrito "*SHISHIMAI*". Esta não

---
4. Lojas que vendem lembranças e guloseimas no passeio que leva ao templo Senso-ji, em Asakusa. [N.T.]

é a minha letra. "Mas que estranho", pensei. Foi aí que me ocorreu: mais uma travessura de Yozo! Quando perguntei o que ele queria, ficou calado, fazendo manha. Mas ele queria aquele leão a qualquer custo! Seja como for, aquele garoto é esquisito mesmo. Se fez de desentendido, mas escreveu direitinho. Se ele queria tanto assim, devia ter dito desde o começo. Fiquei rindo no meio da loja! Vá chamar Yozo de uma vez.

Numa outra ocasião, eu reuni a criadagem na sala em estilo ocidental da casa, fiz um dos criados tocar de qualquer maneira o piano (era uma casa interiorana, mas dispúnhamos da maioria das coisas básicas) e, em sincronia com aquela música absurda, me entreguei a uma dança indígena, o que fez com que todos dessem boas gargalhadas.

Meu segundo irmão mais velho preparou o flash da câmera e tirou uma fotografia da minha dança indígena que, quando revelada, mostrava, bem na junta do pano que eu enrolara na cintura, o meu pintinho — o que novamente gerou risadas por toda a casa. Talvez isso também tenha sido, para mim, um sucesso inesperado.

Todos os meses eu lia, em silêncio, mais de dez revistas para jovens, além de vários livros trazidos de Tóquio. Estava muito familiarizado com o *Doutor Sem Sen Tido*, e ainda com o *Doutor Kuka Boa*, e bem informado sobre histórias de terror, aventura, coletâneas de piadas, canções e afins, de modo que não faltava assunto para fazer o pessoal de casa rir das coisas absurdas que eu dizia com ar de solenidade.

Entretanto, ah!, e a escola?

Eu era quase respeitado pelos colegas. Mas também a ideia de ser respeitado era para mim algo assustador. Minha definição de ser "respeitado" era a de enganar a todos quase completamente, até ser desmascarado por algum ser onipotente e onisciente, que me reduziria a pó, numa vergonha pior do que a morte. Mesmo que você engane os seres humanos e consiga "ser respeitado", alguém vai saber da farsa, vai acabar contando para os outros e, quando perceberem que foram enganados, será terrível a ira e a vingança dos seres humanos! Só de imaginar fico com os pelos do corpo todo arrepiados.

Eu estava próximo de ser respeitado pela escola não por ser um menino nascido numa família rica, mas por ser o que comumente se chama de "inteligente". Por ter uma saúde muito frágil na infância, estava sempre de cama, e era comum eu faltar à escola por um ou dois meses. Certa vez, cheguei a faltar por quase um ano inteiro. Ainda assim, recém-saído da convalescença, subia num riquixá e seguia para as aulas, fazia os exames de fim de ano e me saía muito melhor do que qualquer outro da turma. Mesmo quando estava bem de saúde, não estudava nem um pouco. Ia para a escola e ficava desenhando durante as aulas para, na hora do intervalo, mostrar os desenhos aos colegas e fazê-los rirem. Na aula de redação, só escrevia histórias cômicas e, mesmo quando o professor chamava-me a atenção, eu não parava. A verdade é que eu sabia que o professor secretamente se divertia com meus contos cômicos. Certo dia contei, com um toque especial de tristeza, o episódio de quando, levado de trem para Tóquio pela minha mãe, resolvi, no meio do caminho, usar a escarradeira do vagão de passageiros para urinar (entretanto, eu não havia feito aquilo sem saber. Fizera-o de caso pensado, simulando a inocência das crianças). Entreguei o texto e, como tinha certeza de que o professor iria rir, segui-o escondido. Assim que ele saiu da sala de aula, puxou minha redação do meio das outras e começou a lê-la enquanto andava pelo corredor, tentando segurar o riso. Quando terminou a leitura, na sala dos professores, ele estava completamente ruborizado, gargalhando com estridência, e mostrou em seguida aos outros professores, o que me deixou extremamente satisfeito.

Palhaçadas.

Eu consegui ser visto como um brincalhão. Assim, pude escapar de ser respeitado. Tirava nota dez em todas as matérias, e era somente em "comportamento" que tirava nota seis ou sete, o que virava, mais uma vez, motivo de gargalhadas em minha casa.

Minha natureza real, entretanto, era diametralmente oposta à de um menino travesso. Nessa época, eu já havia aprendido coisas lamentáveis com os empregados e empregadas da casa. Eu fora abusado. Hoje penso que cometer um crime assim contra uma criança é a coisa mais vil, hedionda e terrível que um ser humano pode fazer. Mas eu suportei calado. Acreditava que aquilo me permitia ver mais um ângulo da natureza humana, e ria abatido. Se tivesse o hábito de falar a verdade, teria denunciado os criados para meu pai ou minha mãe sem constrangimento, mas eu não entendia nem ao menos meus próprios pais. Pedir ajuda a alguém era um recurso no qual eu não tinha esperança nenhuma. Ainda que contasse tudo ao meu pai ou à minha mãe, a um policial, ao governo, será que eu não acabaria tendo minha voz silenciada por alguma pessoa de poder, de boas relações na sociedade?

É evidente que o favoritismo existe, logo seria inútil reclamar para outros seres humanos. Sendo assim, não disse nada a ninguém, achando que não havia o que ser feito além de suportar e continuar com as minhas estultices.

"Que conversa é essa de não ter fé no ser humano? Hein? Quando foi que você virou cristão?", talvez questionem algumas pessoas, escarnecendo. Contudo, não creio que a descrença no ser humano esteja necessariamente ligada à religião. Os homens, incluindo os que escarnecem de mim neste momento, vivem em *plena descrença mútua*, serenamente, sem ao menos pensar em Deus, não é mesmo?

Tenho uma pequena história de quando ainda era criança. Certa figura de renome, do partido político ao qual meu pai era afiliado, veio fazer um comício no teatro de nossa cidade, a que assisti junto com os criados. Estava lotado e eu via todas as pessoas, sobretudo os amigos de meu pai, aplaudindo com entusiasmo. No final, quando voltava pelas ruas cobertas de neve em grupos de três ou cinco a caminho de suas casas, o público maldizia o evento daquela noite. Era possível ouvir inclusive as vozes de pessoas especialmente íntimas de meu pai. O discurso de abertura de meu pai havia sido malfeito, o discurso do político não tinha nem pé nem cabeça, diziam os "camaradas" de meu pai, com tons de voz quase raivosos. Essas mesmas pessoas vieram depois à nossa casa, entraram na sala de visitas e disseram, com expressões de alegria no rosto que pareciam vir do fundo de seus corações, que a noite havia sido um grande sucesso. Até mesmo os criados, quando questionados por minha mãe, diziam logo que havia sido muito interessante. Mas, no caminho para casa, eles se lamentavam dizendo: "Não existe nada tão tedioso quanto um comício."

Este, todavia, não passa de um pequeno exemplo. A vida humana está repleta desses exemplos, de seres humanos enganando uns aos outros sem sequer se magoar por isso, como se nem mesmo percebessem que estão se enganando mutuamente. Exemplos vívidos, puros, alegres e serenos de insinceridade. Não tenho, no entanto, nenhum interesse particular em enganos mútuos. Eu mesmo passava o dia todo, da manhã à noite, enganando as pessoas com minhas palhaçadas. Não me interesso pela virtude que os livros didáticos de ética chamam de justiça. O que não consigo compreender são as pessoas que, enquanto se enganam mutuamente, vivem com *pureza, alegria e serenidade* — ou que acreditam poder viver assim. Os homens, no fim das contas, jamais me ensinaram esse segredo velado. Se pelo menos eu o tivesse compreendido, talvez não precisasse sentir medo dos seres humanos e fazer esforços tão extraordinários para entretê-los. Não precisaria ter me oposto à vida humana, nem experimentado, noite após noite, tormentos tão infernais. Ou seja, creio que não foi pela descrença no ser humano e muito menos por tendências cristãs que não denunciei a ninguém o crime lastimável dos criados e criadas, mas porque para mim, Yozo, a confiança dos seres humanos era inalcançável, selada por uma carapaça. Pois até mesmo meus pais, vez por outra, tinham atitudes incompreensíveis.

Tenho a impressão de que as mulheres, por instinto, farejam em mim essa solidão, essa incapacidade de recorrer a alguém, e que este é um dos motivos de, mais tarde, terem se aproveitado de mim de várias maneiras.

Ou seja, para as mulheres, eu era um homem que sabia guardar segredos de amor.

Segundo caderno

Próximo à costa, tão perto do mar que se poderia dizer que ficava na rebentação, havia mais de vinte cerejeiras silvestres muito altas, de troncos de casca negra. No início do ano letivo, essas árvores mostravam, junto com seus obstinados brotos marrons, seu deslumbrante florescer, tendo como pano de fundo o mar azul. Mais tarde, chuvas de pétalas cairiam em profusão sobre o mar, e elas vagariam incrustadas na superfície das águas, até serem trazidas de volta à praia pelas ondas. Coberta de pétalas, a praia servia de pátio para uma escola ginasial do Nordeste, onde eu acabei conseguindo entrar, apesar de quase não estudar para os exames. Flores de cerejeira desabrochavam até mesmo nos emblemas de nossos bonés e botões escolares.

Bem próxima à escola ficava a casa de um parente distante, daí o meu pai ter escolhido essa escola das cerejeiras para eu frequentar. Fui deixado aos cuidados dessa família, e a casa era tão próxima que eu saía correndo após o sino da reunião matutina, e conseguia chegar a tempo para a aula. Apesar de ser um estudante preguiçoso, logo adquiri certa popularidade entre os colegas com minhas palhaçadas.

Era a primeira vez que eu morava em outra cidade, mas para mim aquele local era mais confortável do que minha terra natal. Uma explicação possível é que, por essa época, minhas palhaçadas já haviam se tornado parte de mim de tal forma que eu já não precisava me esforçar tanto para enganar as pessoas. Acredito, todavia, que o motivo principal fosse a diferença de dificuldade entre encenar na frente de meus pais e para outras pessoas, entre encenar na minha cidade e em outro lugar. Qualquer gênio, até mesmo Jesus Cristo, deve sentir essa diferença. O local mais arriscado para um ator é o teatro de sua cidade natal: creio que qualquer magnífico ator ficaria sem ação com toda a família e demais parentes presentes para assisti-lo. Mas eu vinha atuando assim. E com muito sucesso, inclusive. Não havia chances de um ator tão talentoso fracassar longe de casa.

Meu medo dos seres humanos continuava se movendo em meu peito, não sei se de forma mais ou menos intensa do que antes, porém meus talentos como ator haviam melhorado muito. Eu sempre conseguia fazer com que toda a classe risse. Mesmo o professor, que se lamentava dizendo que a aula seria melhor sem mim, ria cobrindo a boca com a mão. Com facilidade, eu conseguia fazer até mesmo nosso instrutor militar, com sua voz bárbara e estrondosa, explodir em risos.

Quando comecei a baixar a guarda, acreditando piamente já ter conseguido ocultar minha verdadeira identidade, fui pego desprevenido de forma inesperada. Dentre todos os meninos da turma, havia aquele que era o mais fracote, o de cara mais pálida, um menino que vestia um casaco de mangas compridas demais para ele — provavelmente uma roupa velha herdada de um irmão ou do pai —, que não tinha capacidade para o estudo e ficava apenas observando os outros alunos nos exercícios físicos. Era praticamente um idiota. Não é de surpreender que eu não tenha reconhecido que precisava manter minha guarda até mesmo contra ele.

Num dia fatídico, na aula de ginástica, esse menino (não consigo lembrar seu sobrenome; o seu nome era Takeichi, disso lembro-me bem) estava lá, como sempre "observando" enquanto fazíamos exercícios nas barras de ferro. Com o rosto compenetrado e encarando as barras, dei um grito e saltei em direção a elas. Errando de forma deliberada a distância, caí sentado no chão de areia, um erro caprichosamente calculado. Aquilo foi motivo de riso para todos, e eu também ria sem graça enquanto me erguia do solo e limpava a areia das calças, quando, sem que eu percebesse, Takeichi se aproximou por trás e sussurrou:

— De propósito, você fez de propósito.

Foi um choque. Nunca pensaria que dentre todas as pessoas, logo Takeichi poderia me desmascarar. Por um instante, senti como se estivesse vendo o mundo ser envolvido e consumido pelas chamas do inferno, e gritei tentando expulsar aquele indício de loucura.

Os dias que se seguiram foram de temor e angústia.

Por fora eu continuava fazendo com que todos rissem de minhas tristes momices, mas às vezes, sem perceber, suspirava angustiado. "Não importa o que eu faça, Takeichi vai perceber e, com o tempo, certamente vai espalhar meu segredo a todos", eu pensava, com a testa coberta de suor, olhando ao meu redor o tempo todo, como um insano. Se fosse possível, ficaria colado em Takeichi 24 horas por dia, vigiando-o, para que o segredo não se espalhasse. Devotava minhas horas a ele no intuito de persuadi-lo a acreditar que minhas palhaçadas não eram "de propósito", que era tudo real. Se desse certo, eu estaria preparado para me tornar um amigo inseparável; se, por alguma impossibilidade, tudo desse errado, cheguei mesmo a pensar em rezar por sua morte como única saída. Como sempre, a única ideia que não me passou pela cabeça foi a de matá-lo. Durante minha vida, desejei inúmeras vezes ser assassinado, porém nunca pensei em matar alguém. Acreditava que matar um adversário temível, ao contrário do esperado, traria felicidade apenas ao próprio adversário.

A fim de ganhar sua confiança, eu armava aquela expressão gentil de falso cristão e, transbordando de sorrisos, inclinava o pescoço cerca de trinta graus para a esquerda, tocava de leve seu pequenino ombro e, numa doce voz própria para atrair gatos, convidava-o diversas vezes a vir me visitar na casa onde morava. Ele, no entanto, permanecia calado, com o olhar vago. Contudo, certo dia no início do verão, caiu um aguaceiro depois das aulas, e os alunos não sabiam como fazer para voltar para suas casas. Como a minha ficava bem próxima, estava prestes a saltar para a rua quando notei que Takeichi estava de pé, abatido, à sombra do armário para calçados. "Vamos, lhe empresto um guarda-chuva", disse, e, puxando o medroso pela mão, saímos correndo juntos, em meio à chuvarada. Chegando em casa, pedi para minha tia secar nossos casacos. Assim, consegui convidar Takeichi para entrar no meu quarto, no primeiro andar.

Na casa viviam minha tia, uma senhora com seus mais de 50 anos, e minhas duas primas: a mais velha tinha cerca de 30 anos, era alta, de saúde debilitada, e usava óculos (fora casada durante uma época, mas acabou voltando para casa. Por hábito, eu sempre a chamava simplesmente de "mana"); a outra havia acabado de se formar numa escola para moças, chamava-se Set--chan e, baixa e de rosto redondo, não se parecia em nada com sua irmã mais velha. O primeiro piso da casa funcionava como loja e tinha materiais de papelaria e artigos de esportes à venda, porém a principal fonte de renda eram os cinco ou seis aluguéis das casas que meu tio construíra antes de morrer.

— Meus ouvidos doem — disse Takeichi, de pé, no meio do meu quarto.

— Devem estar doendo por causa da chuva.

Quando fui examinar suas orelhas, vi que estavam péssimas. O pus estava quase escorrendo para fora dos ouvidos.

— Isso está horrível. Deve estar doendo muito — disse, exagerando na preocupação. — Desculpe ter arrastado você no meio da chuva.

Falei tal como uma mulher falaria, gentilmente, depois desci para pegar algodão e álcool. Takeichi deitou no chão, colocou a cabeça no meu colo e eu limpei cuidadosamente seus ouvidos. Nem mesmo Takeichi poderia perceber a hipocrisia daquela artimanha. Longe disso, enquanto ainda estava deitado no meu colo, ele disse:

— Com certeza, as mulheres vão se apaixonar por você.

Aquilo era provavelmente o melhor que ele podia dizer em termos de elogio.

Acabei por descobrir, anos mais tarde, que isso fora uma espécie de profecia demoníaca, mais temível do que Takeichi poderia imaginar. "Apaixonar-se por alguém", "alguém se apaixonar por você", considero essas expressões extremamente vulgares, risíveis e melosas. Não importa quão solene seja o lugar; assim que essas palavras aparecem, a catedral da melancolia se despedaça, não deixando nada além de uma planície tediosa. O curioso é que se, em vez de uma expressão popular como "é complicado quando alguém se apaixona por você", usarmos uma expressão mais literária, como "os anseios acarretados por ser amado", essa catedral não vem abaixo tão facilmente.

Quando Takeichi fez aquele elogio idiota de que as mulheres se apaixonariam por mim apenas porque eu havia limpado o pus de seus ouvidos, fiquei ruborizado e ri, sem nada responder, mas na verdade eu tive a leve sensação de entender algo do que ele estava falando.

Entretanto, escrever que, em relação à atmosfera criada por uma expressão vulgar como "vão se apaixonar por você", eu tive "a leve sensação de entender" é tão estúpido que não serviria nem como fala para um ator principiante. É óbvio que não foi com um sentimento tão ridículo e presunçoso que tive "a leve impressão de entender" alguma coisa.

Sempre achei o gênero feminino dos humanos infinitamente mais difícil de entender do que o masculino. Em minha família, o contingente de mulheres era muito maior do que o de homens, sem falar que havia ainda muitas meninas entre meus demais parentes, e também as criadas que outrora abusaram de mim. Acredito que não seria exagero dizer que minhas únicas companheiras de brincadeiras na infância eram meninas. Não obstante, eu convivia com elas como quem caminha sobre gelo fino. Eu simplesmente não as compreendia. Andava às escuras e, de tempos em tempos, cometia gafes indiscretas que me causavam terríveis sofrimentos. Essas feridas, diferentemente dos golpes recebidos de homens, eram como hemorragias internas, difíceis de conter e que apenas com muita dificuldade podiam ser tratadas.

As mulheres se aproximam de você e depois te largam. Ou ainda, te desprezam cruelmente em frente a outras pessoas, apenas para te abraçar com carinho quando ninguém estiver por perto. As mulheres dormem tão profundamente que parecem estar mortas. Quem sabe se elas não vivem para poder dormir? Durante a infância eu já tinha feito essas e outras observações sobre as mulheres, e minha conclusão foi que, ainda que sejam da mesma espécie que os homens, elas são um tipo completamente diferente. Essas criaturas incompreensíveis e perigosas, por mais estranho que possa parecer, preocupavam-se comigo. Expressões como "gostar" ou "amar" não se aplicam à minha situação: provavelmente a melhor explicação seria a de que elas "tomavam conta" de mim.

Muito mais do que os homens, as mulheres pareciam ficar mais à vontade com as minhas palhaçadas. Quando eu aprontava alguma, os homens não gargalhavam por tanto tempo; além disso, eu sabia que se me deixasse levar pelo meu sucesso em entreter um homem e exagerasse na encenação, meu papel iria por água abaixo. Por isso sempre tive o cuidado de parar no momento adequado. Contudo, as mulheres desconhecem a moderação e persistem em suas súplicas por mais e mais tolices, e respondendo a seus incessantes pedidos de bis, eu era levado à exaustão. Elas realmente riem muito. Parece que as mulheres têm uma capacidade de se empanturrar com os prazeres da vida muito maior que a dos homens.

As duas primas que viviam comigo quando eu estudava na escola das cerejeiras visitavam-me em meu quarto no primeiro andar sempre que dispunham de tempo livre. E, todas as vezes que batiam à porta, eu levava um susto e estremecia de pavor.

— Estudando?

— Não — respondia com um sorriso, fechando o livro. Prontamente, eu começava alguma história engraçada, bem diferente daquilo que eu estivesse pensando.

— Hoje, aquele professor magrelo de geografia que nós chamamos de "vara", ele...

Certa noite, minhas primas vieram ao meu quarto e, após me fazerem encenar meu papel por um longo tempo, uma delas propôs:

— Yo-chan, coloque estes óculos.

— Por quê?

— Porque sim. Experimente os óculos da mana.

Era sempre nesse tom duro de quem dá ordens. O palhaço pegou os óculos da mana e os colocou. Imediatamente, as duas irmãs rolaram de rir.

— Igualzinho! Igual a Lloyd!

Por essa época, o comediante Harold Lloyd fazia muito sucesso no Japão.

Coloquei-me de pé, ergui uma das mãos e disse:

— Senhoras e senhores. É com grande prazer que eu gostaria de agradecer aos meus fãs no Japão...

Fiz o agradecimento e elas riram mais. A partir daquele episódio, toda vez que um filme de Harold Lloyd chegava ao teatro da cidade eu ia assisti-lo para, secretamente, estudar suas expressões.

Uma noite, no outono, estava deitado lendo um livro quando a mana entrou no meu quarto e, veloz como um passarinho, se deixou cair por cima das minhas cobertas, chorando.

— Yo-chan, você vai me ajudar, não é? Eu sei que vai. Precisamos fugir desta casa, juntos. Ajude-me, certo? Ajude-me! — dizia ela histericamente, e tornava a chorar. Essa não era a primeira vez que uma mulher fazia uma cena assim na minha frente, de modo que mesmo aquelas palavras exageradas não me surpreenderam. Ao contrário, sentia tédio com os clichês e a banalidade. Levantei da cama, peguei um caqui de cima da escrivaninha e o descasquei, dando uma fatia à mana. Ela comeu, ainda soluçando, e disse em seguida:

— Não tem algum livro interessante? Empreste-me!

Peguei na prateleira o livro *Eu sou um gato*, de Soseki, e dei a ela.

— Obrigada pelo caqui! — disse, e saiu rindo, um pouco constrangida.

Ela não foi a única — muitas vezes achei que seria mais complicado, trabalhoso e desagradável compreender os meandros sentimentais femininos do que perscrutar os pensamentos mais profundos de uma minhoca. Mas ainda criança aprendi que, quando uma mulher irrompe em choro, basta dar-lhe algo doce para que seu humor se restabeleça.

A irmã mais nova, Set-chan, chegava a trazer suas amigas para o meu quarto. Como de costume, eu as fazia rir. Quando uma amiga ia embora, Set-chan invariavelmente começava a falar mal dela. "Aquela menina não presta, tenha muito cuidado com ela", dizia sempre. "Se é assim, você não precisava ter o trabalho de trazê-la até aqui", eu pensava. Graças a Set-chan, quase todas as visitas ao meu quarto eram femininas.

Isso, entretanto, não significa que o elogio de Takeichi sobre mulheres se apaixonando por mim houvesse se realizado. Eu não passava de um Harold Lloyd do Nordeste japonês. Foi somente muitos anos depois que o elogio bobo de Takeichi se mostrou com clareza como uma profecia sinistra.

Takeichi ainda me deu mais um valioso presente.

— É o desenho de um fantasma — explicou-me um dia, me mostrando com orgulho uma gravura colorida que ele havia trazido.

"Como?", pensei comigo mesmo. Hoje, anos mais tarde, não consigo deixar de pensar que aquele instante determinou minha sina. Eu sabia o que era aquilo. Era apenas o autorretrato de Van Gogh. Na época em que eu era menino, a escola impressionista francesa estava na moda no Japão, e fomos introduzidos à arte ocidental por meio de obras daquele tipo. Pinturas de Van Gogh, Gauguin,

Cézanne e Renoir eram familiares até mesmo aos estudantes do interior, geralmente por meio de reproduções fotográficas. Eu mesmo já havia visto algumas reproduções coloridas das pinturas de Van Gogh. A graça de suas pinceladas e das cores vivas despertavam meu interesse, mas nunca, nem ao menos uma vez, havia pensado nelas como desenhos de fantasmas.

Apanhei um volume com reproduções de Modigliani de cima da estante e mostrei a Takeichi as figuras de mulheres nuas, de pele cor de cobre.

— E estas aqui? Será que são fantasmas também?

— Fantástico! — disse ele, com os olhos arregalados de admiração.

— Parece um cavalo do inferno!

— Então são monstros, mesmo?

— Eu também quero desenhar monstros!

Algumas pessoas têm um pavor tão mórbido dos demais seres humanos que acabam desejando ver com os próprios olhos aparições cada vez mais monstruosas. E quanto mais nervosas são, quanto mais apavoradas ficam, mais rezam para que as tempestades sejam violentas. Ah! Esses pintores foram tão feridos e intimidados pelos monstros chamados seres humanos que por fim acabaram acreditando na ilusão, chegando a ver monstros em plena luz do dia, ao ar livre. Esses pintores, contudo, não enganaram ninguém com palhaçadas: eles se esforçaram por representar exatamente o que viam. Takeichi tinha toda a razão: eles haviam ousado pintar "desenhos de fantasmas". "Aqui estão meus companheiros do futuro", pensei, quase chorando de excitação.

— Eu também vou pintar! Pintarei fantasmas! Pintarei também os cavalos do inferno! — disse a Takeichi, quase num sussurro.

Quando era estudante, gostava de desenhar e de admirar mangás, ainda que a reputação de meus traços não fosse tão boa quanto a de minhas redações. Nunca acreditei nas palavras dos seres humanos, de modo que minhas redações não representavam nada além da mesura de um palhaço para sua plateia; durante toda minha vida escolar, elas foram a alegria de meus professores, mas para mim não passavam de bobagens. Sendo assim, eu devotava meus esforços somente a meus mangás (exceto as caricaturas) e à representação de objetos, mesmo que fosse no meu próprio estilo infantil. Os livros com ilustrações que usávamos para pintar na escola eram tediosos, e os professores de desenho, inábeis. Eu era obrigado a experimentar sozinho todas as formas de expressão que pudesse imaginar, sem nenhuma metodologia. Quando entrei no ginásio, tinha um estojo de material para pintura a óleo e buscava as pinturas impressionistas como modelo, mas meus próprios desenhos não passavam de estampas inexpressivas e desinteressantes. Ouvindo as palavras de Takeichi, contudo, percebi que minha postura em relação à pintura estava totalmente equivocada. Quão superficial e estúpido é tentar retratar a beleza de algo que achamos belo. Os mestres, por meio de sua percepção subjetiva, criam beleza a partir do nada. Frente a coisas tão horríveis que causam ânsia, eles não escondem seu interesse, e mergulham no prazer da expressão. Em outras palavras, eles não parecem depender das concepções e expectativas de outras pessoas — foi esse o segredo elementar da pintura que Takeichi me mostrou, e comecei pouco a pouco a fazer alguns autorretratos, escondido de minhas visitantes.

Meus mangás eram tão medonhos que até eu mesmo me assustei. Aqui está a verdade que eu escondo dentro do peito: por fora, eu rio e faço rir, enquanto, no fundo, ter uma alma sombria é inevitável, dizia em segredo a mim mesmo. Mas, naturalmente, não mostrei minha obra a ninguém além de Takeichi. Desagradava-me a ideia de que descobrissem essa tristeza velada em minhas palhaçadas e se tornassem subitamente cuidadosos. Também tinha medo de que não reconhecessem meu verdadeiro eu quando o vissem, e achassem que se tratava de mais uma brincadeira, mais motivos de piada. Essa ideia era a mais dolorosa de todas, e eu escondia os mangás no fundo da gaveta.

Nas aulas de desenho da escola, mantinha em segredo meu "estilo fantasma" e tentava pintar o belo com beleza, a despeito dos meus toques medíocres.

Apenas para Takeichi eu podia mostrar minhas frágeis sensibilidades, e não hesitei em colocar na sua frente meus autorretratos, que ele elogiou muito. Fiz outras duas ou três pinturas de fantasmas e recebi de Takeichi mais uma predição:

— Um dia você será um grande pintor.

Com a fronte marcada pelas duas profecias do idiota do Takeichi — de que as mulheres morreriam de amores por mim e de que eu seria um grande pintor —, mais tarde fui parar em Tóquio.

Minha vontade era a de ingressar numa escola de belas-artes, no entanto meu pai me colocara na faculdade[5], esperando fazer de mim um funcionário público. Ele me anunciou essa sentença e eu, que nunca consegui levantar a voz contra nada, obedeci em silêncio. Por sugestão de meu pai, eu fiz o exame de ingresso da faculdade um ano antes do normal e fui aprovado, o que foi bom, pois já estava cansado da escola das cerejeiras e do mar. Fui para Tóquio e comecei minha nova vida no dormitório, mas hesitei diante da imundície e da violência. Não era o caso de palhaçadas: pedi ao médico que me diagnosticasse com infiltração pulmonar e logo saí do dormitório, mudando-me para a casa de meu pai, em Sakuragi-cho, em Ueno. A vida em comunidade não serve para mim. Além disso, expressões como "o ardor da adolescência" ou "o orgulho da juventude" me davam calafrios, de modo que não havia possibilidade nenhuma de eu seguir aquele "espírito universitário". Tanto o dormitório quanto a sala de aula davam-me a impressão de serem depósitos de desejos sexuais deformados, e nem mesmo meus aperfeiçoados métodos de fazer rir serviam para alguma coisa ali.

Quando meu pai não tinha reuniões no parlamento, ele passava apenas uma ou duas semanas por mês em casa. Quando ele não estava, havia somente três pessoas na imensa residência: o casal idoso que tomava conta da casa, e eu, que vivia cabulando as aulas da faculdade, ainda que

---

5. Antigo ensino médio do Japão, geralmente frequentado por jovens de classe alta. Nível anterior à universidade, os alunos ingressavam com cerca de 16 anos, mas o status e o conteúdo do curso eram semelhantes aos das faculdades atuais. [N.E.]

não fosse para perambular por Tóquio (pareço estar fadado a terminar meus dias sem jamais ter visto o Santuário Meiji, a estátua de bronze de Masashige Kusunoki[6] e o túmulo dos 47 *ronins*[7], em Sengakuji). Passava os dias lendo e desenhando. Quando meu pai voltava para Tóquio, eu saía cedo para as aulas, embora muitas vezes fosse para o curso de desenho do pintor de estilo ocidental Shintaro Yasuda, em Sendagi-cho, em Hongo, e por lá ficasse durante três ou quatro horas, praticando. Por ter escapado do dormitório da faculdade, mesmo quando assistia às aulas, eu sentia como se estivesse numa posição privilegiada. Isso talvez fosse preconceito da minha parte, no entanto fui me tornando cada vez mais cínico, e ir à escola sempre me aborrecia. Passara pelo primário, pelo secundário, e chegara à faculdade sem ter compreendido o que era o tal espírito escolar. Eu nem sequer tentei aprender os hinos de minhas escolas.

Passado algum tempo, fui iniciado por meio de um colega da turma de desenho ao álcool, ao cigarro, à prostituição, à casa de penhores e ao pensamento de esquerda. Uma mistura exótica, mas foi o que aconteceu.

Esse colega, chamado Masao Horiki, havia nascido em Tóquio e era seis anos mais velho do que eu. Havia se formado em uma escola particular de artes e, como não tinha ateliê em casa, frequentava as aulas de desenho e praticava a pintura em estilo ocidental.

---

6. Considerado um ideal de lealdade guerreira, Masashige lutou a favor do Imperador Go-Daigo, visando proteger o governo do Japão do controle do xogunato de Kamakura. [N.T.]
7. Famoso incidente no qual guerreiros armados lutaram para defender a honra de seu senhor e clã. [N.T.]

— Você pode me emprestar cinco ienes?

Conhecíamo-nos apenas de vista, nunca tendo trocado uma palavra sequer. O susto foi tanto que lhe entreguei os cinco ienes.

— Ótimo! Vamos beber. Eu pago para você. Você é um bom garoto.

Não consegui recusar e fui arrastado até um café em Hourai-cho, próximo à escola. Esse foi o início de nossa amizade.

— Tenho observado você faz tempo. Aí está! Esse seu sorriso tímido é a expressão especial de um artista promissor. Um brinde à nossa aproximação! Kinu-san, este cara é bonito, não? Não vá se apaixonar por ele! Infelizmente, agora que ele entrou em nossa aula de desenho, eu passei a ser o segundo mais bonito.

Horiki tinha um rosto de cor um tanto escura, feições elegantes e, atípico para um estudante de pintura, usava sempre um paletó alinhado, gravatas sóbrias e os cabelos com brilhantina, caprichosamente repartidos ao meio.

Eu não estava acostumado com aquele tipo de local e, atemorizado, apenas cruzava e descruzava os braços, com o tal sorriso tímido no rosto. Porém, depois de duas ou três cervejas, comecei a me sentir estranhamente leve, como se tivesse sido libertado.

— Estava pensando em ingressar numa escola de artes de verdade — comentei.

— Não, é um tédio! Esses lugares são todos um tédio. Escolas são todas tediosas. Nosso mestre está na natureza! No *páthos* que sentimos com a natureza!

Eu não dava o menor crédito ao que ele dizia. Pensava que ele era um parvo, que com certeza seus mangás eram ruins, mas que ele poderia ser um bom companheiro de diversões. Era a primeira vez que eu conhecia um típico vadio de cidade grande. Ainda que de formas diferentes, nós dois éramos pessoas perdidas e absolutamente isoladas das atividades humanas. A diferença básica entre nós é que ele agia sem consciência de sua farsa e, sobretudo, sem perceber quanto havia de trágico em sua farsa.

Eu o desprezava e dizia para mim mesmo que ele era apenas um parceiro para os divertimentos, nada mais. Chegava a ter vergonha de tê-lo como amigo. Com o tempo, entretanto, enquanto saíamos juntos, ele acabou por derrubar minhas defesas.

No início, eu estava convencido de que Horiki era uma boa pessoa, do tipo que raramente se encontra, e, apesar de meu medo patológico de seres humanos, fui baixando a guarda, acreditando que encontrara um ótimo guia de Tóquio. Para dizer a verdade, estando sozinho, tinha receio de entrar nos trens, por causa do condutor; mesmo tendo vontade de ir ao teatro kabuki, temia as recepcionistas que se enfileiravam nos dois lados do tapete vermelho na escadaria da entrada; quando ia a algum restaurante, temia os garçons que ficavam espiando pelas minhas costas para ver se eu já havia terminado a refeição e recolher os pratos; e, especialmente, temia quando tinha de pagar a conta. Ah! Meus gestos desajeitados ao estender a mão para pagar uma compra — desajeitados não por avareza, mas por uma tensão excessiva, uma vergonha sem fim, uma inquietação incomensurável. O medo turvava minha visão, o mundo era envolvido pelo negrume, e eu me sentia à beira da loucura. Pechinchar estava fora de questão: eu não só esquecia de pegar o troco, como muitas vezes esquecia a própria compra e voltava para casa. Era mesmo impossível caminhar por Tóquio sozinho, então passava meus dias dentro de casa, sem ter o que fazer.

Mas quando eu entregava minha carteira a Horiki e saíamos a caminhar pela cidade, ele pechinchava sempre, era um hábil caçador de prazeres, um mestre em conseguir o máximo de diversão pelo mínimo de dinheiro. Além disso, era proficiente na arte de alcançar o local almejado no menor tempo possível, evitando os táxis e utilizando trens, ônibus e lanchas a vapor. Ele me proporcionou a educação prática acerca de muitos assuntos: se pela manhã, voltando para casa depois de passar a noite com uma prostituta, eu parasse numa pousada para tomar banho e fazer uma refeição, era uma maneira barata de se experimentar uma vida de luxo; explicou-me que os pratos de arroz com carne ou espetinhos de frango vendidos na rua são muito nutritivos, apesar de baratos; garantiu-me que para ficar bêbado rápido, nada melhor do que *brandy*. De qualquer forma, ele nunca me fez sentir receio ou preocupação em relação às contas.

Outra coisa que me ajudava na convivência com Horiki era o fato de ele ignorar por completo o que a outra pessoa estivesse pensando, de modo que prosseguia sem cessar com sua conversa descabida na direção em que suas "paixões" o levassem (ou talvez sua paixão fosse justamente ignorar os sentimentos de seu ouvinte); então, mesmo quando estávamos cansados de caminhar por aí, não havia o menor perigo de cairmos em algum silêncio desagradável. Quando acompanhado, eu sempre me punha em alerta contra esses silêncios amedrontadores e, por ser quieto por natureza, só conseguia evitá-los recorrendo a alguma palhaçada desesperada. Agora que o palerma do Horiki, sem perceber, fazia ele mesmo o papel de pierrô, eu quase não precisava responder nada, bastava assentir vez ou outra com algum "não me diga!" em tom de gracejo.

Com o tempo, aprendi que bebidas, cigarros e prostitutas eram os instrumentos de que eu dispunha, ainda que de forma temporária, para dissipar meu pavor dos seres humanos. Mesmo se precisasse vender tudo o que possuía para dispor desses instrumentos, eu o faria de bom grado.

Eu via as prostitutas não como seres humanos, nem como mulheres, mas apenas como idiotas ou loucas, com as quais eu conseguia dormir profundamente aninhado em seus peitos, com toda a segurança. Elas eram tão desprovidas de ambição que chegava a ser triste. Talvez por sentirem algo como afinidade de espécie, essas prostitutas sempre demonstraram por mim uma bondade natural, que não era opressiva. Bondade desinteressada, sem intenções de negócios, como a bondade oferecida a alguém que talvez nunca mais se verá. Em algumas noites, pude ver nessas prostitutas idiotas ou loucas a auréola de Maria.

Eu ia até elas a fim de escapar do meu medo dos humanos e buscar uma noite de repouso. Porém, enquanto me divertia com essas prostitutas da "mesma espécie", sem me dar conta passei a ser rodeado por algo como uma atmosfera agourenta. Era como um apêndice que houvesse se agregado a mim de forma inesperada; com o passar do tempo, ele ficava cada vez mais nítido, até que, para meu assombro e desagrado, também Horiki deu mostras de ter percebido. Falando vulgarmente, eu havia "conhecido as mulheres" por meio das prostitutas, e estava me tornando um perito. Parece que o aprendizado acerca de mulheres via prostitutas é o mais difícil e, por conseguinte, o que traz melhores resultados. Eu já estava impregnado do cheiro de "conquistador", e elas (não apenas as prostitutas) instintivamente detectavam esse odor e me cercavam. Essa atmosfera obscena e inglória era o "bônus" que eu ganhara e, ao que parecia, chamava muito mais a atenção do que minhas noites de farra.

É provável que Horiki tenha mencionado isso em parte como elogio. Suas palavras, entretanto, me trouxeram um sofrimento do qual não conseguia me esquivar. Lembro, por exemplo, de cartas ingênuas recebidas de garçonetes de cafeterias; da filha de um general, uma moça de cerca de 20 anos, que morava próximo à casa de Sakuragi-cho e que, sem motivo aparente, ficava entrando e saindo pelo portão de casa, maquiada, esperando que eu saísse para a escola; e da garota do restaurante onde eu ia comer carne, que, mesmo quando eu não dizia nada...; e das carteiras de cigarros que a menina da tabacaria onde eu era cliente me entregava; e da mulher do assento vizinho no teatro kabuki; e de quando eu ficava bêbado e dormia dentro de algum bonde, no meio da madrugada; e de uma inesperada carta, cheia de ternura, vinda de uma parente da minha terra natal; e de uma garota desconhecida, que havia deixado uma boneca feita a mão, quando eu estava ausente. Com todas elas eu era negativo ao extremo, e essas histórias nunca evoluíam, restando apenas fragmentos não desenvolvidos. No entanto, era um fato inegável, e não uma brincadeira boba sobre meus casos amorosos, que eu fazia as mulheres sonharem, de algum modo. O fato de um tipo como Horiki perceber isso me causou uma dor que beirava a humilhação e me fez perder o interesse pelas prostitutas por completo.

Para exibir sua "modernidade" (não consigo pensar em outro motivo), Horiki também me levou certo dia a uma reunião secreta de um grupo de leitura comunista (chamava-se R. S. ou algo do gênero, mas não lembro com certeza). Para alguém como Horiki, um encontro do Partido Comunista deveria contar como mais uma das atrações do seu "Guia de Tóquio". Fui apresentado aos "camaradas", que me fizeram comprar um panfleto, e ouvi uma palestra sobre economia marxista proferida por um convidado de honra jovem e extremamente feio. Tudo que ele disse me pareceu óbvio. Devia mesmo ser assim, entretanto eu não podia deixar de pensar que havia coisas muito mais incompreensíveis e temíveis no coração humano. A palavra "ganância" não é suficiente, nem "vaidade". Uma combinação de luxúria e ganância também não é suficiente. Eu não sabia ao certo o que era, mas sentia que no fundo do coração humano havia algo mais sinistro e difícil de compreender do que a economia. Amedrontado por essa complexidade, eu concordava com o materialismo naturalmente, como a água que corre rumo ao mar, contudo esse materialismo não me libertava de meu medo dos humanos, não me fazia sentir a esperança alegre que se tem diante de folhagens novas e verdejantes. Sem faltar nem ao menos uma única vez, ia regularmente às palestras da R. S. (acredito que era como se chamava, salvo engano), assistindo aos "camaradas" e me divertindo muito com eles, que discutiam com semblantes carregados sobre teorias que soavam como aritmética elementar, do tipo "um mais um é igual a dois". Tentava abrandar o clima dos encontros com minhas palhaçadas, o que amenizava o ar opressivo das reuniões e fez com que eu me tornasse popular e indispensável no grupo. Aquelas pessoas simplórias deviam achar que eu era como elas, um "camarada" otimista e risonho. Se foi assim, eu os enganei por completo. Eu não era um companheiro. Não obstante, jamais faltava às reuniões e vivia prestando meus serviços de bobo da corte a todos.

É que eu gostava daquilo. Gostava daquelas pessoas. Todavia, não estávamos ligados por nenhuma afeição relacionada a Marx.

Ilegalidade. Era isso o que eu achava sutilmente agradável. Eu chegava a me sentir confortável na ilegalidade. O que me amedrontava, pelo contrário, eram as leis da sociedade (pressentia que em suas profundezas vivia algo incrivelmente poderoso); seu mecanismo me era incompreensível, e eu não conseguia ficar sentado naquela fria sala sem janelas. Ainda que fora dela fosse um mar de ilegalidade, preferia atirar-me em suas águas e nadar até a morte.

Existe a expressão "pária", que no mundo dos homens é utilizada para se referir a pessoas derrotadas, miseráveis ou perversas. Mas sinto como se eu fosse um pária *desde o momento em que nasci*. Por isso, sempre sinto afeição por aquelas pessoas consideradas párias pela sociedade, afeição tamanha que me deixa num estado de êxtase.

Também existe a expressão "consciência criminosa". Durante toda minha vida em meio aos humanos, tenho sido vítima de tal consciência, ainda que esta tenha sido uma companheira fiel, como a esposa com quem compartilhamos uma vida de privações e nos divertimos com melancolia. Essa é, talvez, uma das minhas posturas frente à vida. As pessoas também falam sobre "ter a consciência pesada". No meu caso, esse peso surgiu quando eu ainda era um bebê e, com o tempo, em vez de desaparecer, foi agravando cada vez mais, a ponto de quase não conseguir mais carregá-lo. As agonias pelas quais passei por isso, noite após noite, eram como um inferno multifacetado, mas (essa talvez seja uma maneira bem estranha de dizer isto) pouco a pouco fui me tornando mais íntimo desse peso do que de meu próprio corpo, e passei a pensar na dor que ele me causava como uma expressão de seus sentimentos, ou até mesmo como sussurros carinhosos. Para uma pessoa assim, a atmosfera de um movimento clandestino como aquele trazia tranquilidade e conforto. Ou seja, não eram os objetivos do movimento que me atraíam, mas apenas seu caráter. Já Horiki compareceu só ao primeiro encontro, no qual ele me apresentou aos camaradas, e então, com a piada idiota de que os marxistas deviam estudar não apenas os aspectos produtivos da sociedade, como também os consumistas, nunca mais apareceu. De todo modo, ele me convidava sempre para o estudo dos aspectos consumistas. Pensando sobre isso agora, lembro que existiam marxistas de todos os tipos naquele tempo. Alguns, como Horiki, chamavam a si mesmos de marxistas por uma vaidade moderna. Outros, como eu, assistiam às palestras apenas por gostar do cheiro da ilegalidade. Tenho certeza de que se os verdadeiros seguidores do marxismo descobrissem gente como eu e Horiki, ficariam furiosos e nos expulsariam como vis traidores. Contudo, nem eu nem Horiki chegamos a ter nossos nomes riscados da lista. Ao contrário, como eu me sentia muito mais à vontade nesse mundo de ilegalidade do que no mundo dos cavalheiros obedientes à lei, e podia exibir ali um comportamento mais "saudável", era considerado um "camarada" promissor, e passei a receber uma série de incumbências, envoltas num risível e excessivo grau de mistério. O fato é que nunca recusei um trabalho e recebia os pedidos sem me perturbar. Ainda que houvesse um clima tenso com os "cães" (era assim que os camaradas chamavam a polícia), nunca cometi nenhuma falha que me levasse a ser interrogado por conduta duvidosa. Rindo e fazendo rir, eu executava com precisão esses trabalhos que eles chamavam de arriscados (os membros do movimento viviam tensos como se tudo fosse de suma importância, e agiam como se estivessem em uma novela policial barata, sempre em estado de alerta. Minhas missões eram, sem exceção, casos incrivelmente desimportantes e tediosos, mas eles as tratavam como se fossem muito perigosas, e estavam sempre nervosos). Nessa época eu pensava que, ainda que me tornasse membro do partido e fosse capturado, poderia viver sem sobressaltos na cadeia até o último dos meus dias. Acreditava que a vida na prisão talvez fosse mais agradável do que viver gemendo em minhas infernais noites de insônia por temer aquilo que os seres humanos chamavam de "vida real".

Meu pai estava sempre tão ocupado recebendo visitas na casa de Sakuragi-cho ou atendendo a algum chamado externo que, às vezes, passávamos três ou quatro dias sem nos ver. Isso, entretanto, não fazia com que ele se tornasse menos incômodo ou amedrontador. Eu pensava com frequência em sair de casa e procurar uma pensão — ainda que não conseguisse propor a ideia — quando ouvi do velho que tomava conta da casa que meu pai pretendia vendê-la.

O período de serviço de meu pai como membro do parlamento já estava prestes a terminar, e — certamente por vários motivos — ele não parecia ter intenção de se reeleger. Além disso, pretendia construir em nossa terra natal um retiro para passar a velhice. Não tinha nenhum apego por Tóquio e deve ter concluído que seria inútil manter uma casa com empregados para um mero estudante como eu. Seja como for (as intenções de meu pai, assim como os sentimentos humanos em geral, me eram impenetráveis), a casa mudou de mãos em pouco tempo, e eu acabei indo para um quarto escuro de uma velha pensão chamada Recreio do Ermitão, em Morikawa-cho, Hongo, e imediatamente fiquei sem dinheiro.

Meu pai me dava uma mesada mensal que eu torrava rapidamente, mas sempre havia cigarros, bebidas, queijos, frutas e outras coisas em casa. Livros e material de papelaria, artigos de vestuário e afins eu podia sempre conseguir a crédito nas lojas da vizinhança. Quando queria pagar uma refeição como *soba* ou *tendon*[8] para Horiki, bastava ir a algum restaurante da área de influência de meu pai, que eu podia sair sem me preocupar com a conta.

De súbito, eu estava morando sozinho em uma pensão e precisava fazer com que o dinheiro enviado fosse suficiente para passar o mês. Fiquei aturdido. O dinheiro desaparecia em dois ou três dias como de costume, e eu quase enlouquecia de medo e desespero. Revezava o envio de telegramas pedindo dinheiro para meu pai, meus irmãos e minhas irmãs, seguidos de cartas pormenorizadas sobre a minha situação (os fatos explicados nessas cartas eram, sem exceção, criações absurdas. Achava que era uma ótima estratégia fazer as pessoas rirem antes de pedir algo). Sob a tutela de Horiki, comecei a frequentar casas de penhores. Mesmo assim, nunca tinha dinheiro suficiente.

Enfim, eu era incapaz de ter uma "vida" em uma pensão onde não conhecia ninguém. Sentar sozinho em meu quarto me apavorava, tinha a sensação de que alguém iria me atacar a qualquer momento. Então saía para fazer os trabalhos do movimento, ou circular por bares com Horiki para beber saquê barato. Minha vida se transformou por completo. Passei a negligenciar quase todo o meu estudo e minha prática de desenho e, em novembro do meu segundo ano de faculdade, me envolvi em um caso de suicídio amoroso com uma mulher casada e mais velha do que eu.

---

8. *Soba*: macarrão de trigo mourisco, apreciado quente ou frio. *Tendon*: peixes ou verduras fritos (tempurá), servidos sobre arroz. [N.T.]

Mesmo faltando nas aulas e sem estudar absolutamente nada, por algum motivo extraordinário eu conseguia acertar as respostas dos exames, e com isso mantive de algum modo para minha família a ilusão de que tudo ia bem. Entretanto, creio que minhas faltas ficaram muito frequentes e fizeram com que a escola enviasse relatórios confidenciais a minha família. Agindo em nome de meu pai, meu irmão mais velho começou a me enviar longas e solenes cartas. Contudo, mais do que isso, o que me oprimia diretamente era a falta de dinheiro e os trabalhos no movimento, agora tão volumosos e intensos que eu já não podia mais executá-los meio que por diversão, como fazia antes. Eu havia sido escolhido como líder dos grupos estudantis marxistas de todas as escolas do centro de Tóquio, ou mais — Hongo, Koishikawa, Shitaya, Kanda e arredores. Comprara uma pequena faca (pensando agora, ela não servia nem ao menos para apontar um lápis, de tão fina que era) que carregava no bolso interno do sobretudo para o caso de um levante armado, e corria pela cidade "fazendo contatos". Queria poder beber e dormir profundamente, mas não tinha dinheiro para isso. Além do mais, o "P" (salvo engano, tenho a lembrança de que era assim que chamávamos o partido) me pedia para executar tarefas com uma frequência que quase não me permitia tomar fôlego. Um corpo frágil e doente como o meu não poderia dar conta de semelhante desgaste. No início, eu auxiliara o grupo por interesse em sua ilegalidade, mas o que começou por brincadeira acabou me dando um trabalho tremendo, e eu desejava em segredo dizer ao grupo que eu não era a pessoa certa para aquele serviço, que eles deviam designar um dos homens do partido para a tarefa. Sem conseguir subjugar minha irritação, fugi. No entanto, mesmo tendo fugido, não conseguia sentir-me bem comigo mesmo. Foi então que decidi me matar.

Nessa época, havia três moças que tinham especial apreço por mim. Uma delas era a filha do dono do Recreio do Ermitão. Quando voltava para a pensão à noite, completamente exausto dos trabalhos do partido, e ia para a cama sem nem ao menos comer, essa moça surgia no meu quarto, empunhando papel e caneta.

— Desculpe. É que meus irmãos mais novos estão fazendo tanto barulho lá embaixo que não consigo escrever esta carta.

Dizendo isso, ela se sentava à minha escrivaninha e lá ficava escrevendo por mais de uma hora.

Seria muito mais simples se eu ignorasse a moça e dormisse, mas ela parecia tanto querer conversar comigo que, mesmo sem o menor desejo de dizer uma única palavra, eu voltava ao meu espírito de servidor passivo e, apesar do enorme cansaço, virava de barriga para baixo com um gemido, acendia um cigarro e começava a conversar.

— Dizem que há homens que aquecem a água da banheira queimando cartas de amor, viu?

— Ai, que horror! Deve ser você!

— De fato, eu já fervi leite dessa maneira e o bebi, certa vez.

— Que honra! Beba mesmo.

"Essa menina não vai embora? Que carta, que nada! Desculpa esfarrapada. Aposto que ela está desenhando naquele papel", pensava comigo mesmo.

— Mostre-me sua carta.

Eu pedia, ainda que não quisesse, nem morto, pôr os olhos na carta. Ela então negava, dizendo "não, não, que horror!", e ficava tão ridiculamente contente com isso que qualquer interesse que eu pudesse ter por ela desaparecia. Nesse meio-tempo, eu pensava em alguma tarefa para ela.

— Desculpe-me incomodá-la, mas será que você não poderia me fazer o favor de ir à farmácia da rua do trem e comprar Calmotin[9]? Estou tão esgotado que meu rosto está queimando, não consigo dormir. Desculpe. O dinheiro...

— Tudo bem, não se preocupe com o dinheiro.

Ela se levantava com alegria. Eu sabia que quando você pede um favor a uma mulher ela nunca se ofende; ao contrário, ela se alegra com os pedidos de um homem.

A segunda moça era uma estudante de um curso de formação de professores, em uma escola para moças, e "camarada" de partido. Devido aos trabalhos do movimento, mesmo que não quisesse, precisava me encontrar com ela todos os dias. Depois de encerradas as reuniões, ela me seguia e comprava-me coisas.

— Pense em mim como uma verdadeira irmã mais velha.

Estremecendo com tamanha afetação, eu respondia:

— É o que estou fazendo — e forçava um sorrisinho triste.

De todo modo, eu temia irritá-la e achava que devia dar um jeito de enganá-la, então passava mais e mais

---

9. Sedativo utilizado pelo próprio Dazai em duas tentativas de suicídio. [N.E.]

tempo atendendo aos desejos daquela menina feia e desagradável. Quando recebia seus presentes (eram todos produtos de péssimo gosto que eu quase sempre acabava dando ao velhinho da barraca de *yakitori*[10] ou alguém assim), eu fazia uma cara de felicidade e contava alguma piada para fazê-la rir. Numa noite de verão, como ela não saía de perto de mim por nada, beijei-a numa viela escura, esperando, com isso, persuadi-la a ir embora sozinha. Ela ficou tão enlouquecida e incontrolavelmente excitada que logo chamou um táxi para irmos ao escritório alugado em sigilo pelo partido em um prédio, uma sala estreita em estilo ocidental. Ficamos até o amanhecer em grande algazarra. "Que irmã eu tenho!", pensava comigo mesmo, com um sorriso amarelo.

Tanto a moça da pensão quanto a "camarada" eram pessoas com as quais eu acabava me encontrando todos os dias e não conseguia evitá-las como fizera com várias outras mulheres no passado. Quando dei por mim, minha conhecida insegurança já fazia com que eu tentasse desesperadamente alegrar as duas. Era como se eu estivesse de pés e mãos atados.

Nesse mesmo período, me tornei, de forma inesperada, beneficiário da bondade de uma garçonete de um grande café em Ginza. Encontramo-nos apenas uma vez, mas esse sentimento de gratidão me causava tamanha preocupação e medo que eu ficava paralisado. Nessa época, eu já havia adquirido a coragem necessária para embarcar em trens sem o auxílio de Horiki; conseguia ir sozinho ao teatro kabuki,

---

10. Espetinho de frango temperado com molho adocicado. [N.T.]

vestir quimonos e ir aos cafés. Em meu coração, permaneciam imutáveis meus medos, minhas suspeitas e minhas dúvidas sobre a autoconfiança e a violência dos seres humanos, mas na superfície, pouco a pouco, eu aprendera a cumprimentar outras pessoas com uma expressão séria. Não, minto: nunca fui capaz de cumprimentar alguém sem a companhia de meu sorriso aflito de palhaço derrotado. Seja como for, ainda que fosse de forma atrapalhada e quase inconsciente, eu havia adquirido "habilidade" suficiente para cumprimentar as pessoas e iniciar conversas. Teria sido por causa da correria diária com os afazeres do movimento? Por causa das mulheres? Do saquê? O mais provável é que minha constante falta de dinheiro tivesse aperfeiçoado essa habilidade. Como qualquer lugar me deixava temeroso, pensei se a melhor maneira de obter alguma paz de espírito não seria misturando-me aos clientes embriagados, às garçonetes e aos garçons de um grande café. Assim, carregando apenas dez ienes, entrei sozinho num deles e, sorrindo, disse a uma das garçonetes:

— Já aviso que tenho apenas dez ienes.
— Não é preciso se preocupar.

Havia um traço de acento de Kansai, a região de Osaka e Kyoto, em sua fala. Essas poucas palavras foram suficientes para acalmar meus temores. Não é que eu tenha sido aliviado da preocupação de não ter dinheiro, mas senti que não precisava me preocupar por estar ao lado daquela pessoa.

Bebi. Ela me tranquilizava, e isso fazia com que eu não sentisse a necessidade de recorrer às minhas palhaçadas.

Sem ocultar minha melancolia e minha natureza taciturna, bebi em silêncio.

— Gosta disto? — perguntou-me, colocando vários petiscos na minha frente. Balancei a cabeça negativamente. — Só vai beber? Também vou tomar algo.

Era uma noite fria de outono. Tsuneko (esse era o nome dela, conforme me lembro, mas minha memória é enevoada, já não posso ter certeza. Sou desse tipo de homem que nem ao menos se lembra do nome da mulher com quem planejou duplo suicídio) me disse para aguardar em uma casa de sushi atrás do café de Ginza. Comendo um sushi muito ruim (como pude não lembrar ao certo o nome dela e, no entanto, guardar claramente na lembrança o sabor desagradável do sushi? Também me lembro do *sushiman* de cabelo raspado — seu rosto parecia o de uma cobra —, sacudindo a cabeça enquanto preparava os sushis, como se fosse muito bom no que fazia. Mais de uma vez me aconteceu de estar em um trem, achar que conhecia alguém e, depois de muito pensar, me dar conta com um sorriso amargo de que a pessoa era parecida com o velho da casa de sushi. O fato de até hoje, quando o nome e mesmo as feições daquela mulher se distanciam cada vez mais da minha memória, eu conseguir me lembrar tão bem do rosto daquele velho é prova cabal do quão ruim era seu sushi e do quanto eu estava amedrontado e aflito. Na verdade, nunca cheguei a pensar que um sushi fosse realmente saboroso, mesmo quando fui levado a uma casa especializada nisso. Eles são grandes demais. "Será que não conseguem fazer um sushi do tamanho de um dedo indicador?", pensava sempre), eu esperava por ela.

Tsuneko alugava um quarto no segundo andar de uma carpintaria. Ali, sem esconder nem um pouco minha melancolia natural, eu tomei um chá segurando o rosto como se sofresse de uma terrível dor de dente. O estranho é que ela parecia gostar de me ver naquele estado. Ela também parecia ser uma mulher completamente solitária, como se um vento gélido de outono soprasse sempre a sua volta, agitando folhas secas.

Deitados juntos, ela me confidenciou que era dois anos mais velha do que eu e que sua terra natal era Hiroshima.

— Tenho um marido. Ele era barbeiro em Hiroshima. Ano passado, na primavera, fugimos juntos para Tóquio, mas ele não conseguiu um emprego decente. Ele foi indiciado por fraude e está na penitenciária. Tenho ido à prisão todos os dias levar coisas para ele, mas, a partir de amanhã, não irei mais — disse essas e outras coisas, mas eu nunca tive interesse nas histórias das mulheres. Talvez isso se deva ao fato de que elas não são boas de papo, ou porque colocam ênfase nos lugares errados, ou então por outro motivo qualquer. De todo modo, sempre fazia ouvidos moucos.

Eu sou tão infeliz.

Sempre imaginei que essas simples palavras sussurradas me causariam mais simpatia do que as centenas de milhares de palavras contidas num relato feminino, mas, espantosamente, jamais as ouvi de uma mulher. Tsuneko, apesar de não ter verbalizado em palavras que era infeliz, parecia ter uma densa aura de tristeza e solidão envolvendo todo seu corpo. Quando ela se aproximava de mim, eu era envolvido por essa aura e minha própria aura áspera de melancolia nela se fundia com perfeição, como "as folhas secas que repousam junto às rochas do fundo de um lago". Assim, eu conseguia me afastar do medo e da preocupação.

Era completamente diferente da sensação de dormir nos braços daquelas prostitutas idiotas (inclusive porque as prostitutas eram alegres): a noite que passei com essa esposa de fraudador foi, para mim, uma ocasião de libertação e felicidade (creio que essas palavras tão audaciosas não voltarão a ser usadas, de maneira afirmativa e sem hesitação nenhuma, nestes cadernos).

Entretanto, não passou de uma noite. Na manhã seguinte, quando acordei e levantei num salto, eu voltara a ser o palhaço leviano. É que os covardes temem até mesmo a felicidade. Machucam-se com algodão. Podem se ferir com a própria felicidade. Impaciente para deixá-la logo, antes que isso acontecesse, abri ao meu redor minha cortina de fumaça farsante.

— Dizem que "o fim do dinheiro é o fim das relações", mas normalmente as pessoas entendem ao contrário. Isso não significa que quando um homem fica sem dinheiro acaba abandonado pela mulher. Um homem sem dinheiro fica deprimido, imprestável; não tem mais força para rir, fica se sentindo injustiçado, e por fim, em desespero, ele larga a mulher. O provérbio quer dizer que o homem, quase enlouquecido, vai largando tudo, tudo, até que perde a mulher. Está no dicionário *Kanazawa*. Coitados. Eu entendo esse sentimento.

Lembro-me perfeitamente de fazer Tsuneko gargalhar com esse tipo de besteira. Eu saí logo de lá, pois achava que seria desnecessário e perigoso ficar mais tempo. Entretanto, esse meu comentário absurdo de que "o fim do dinheiro é o fim das relações" mais tarde acabou me trazendo complicações inesperadas.

Por um mês, não encontrei com a benfeitora dessa noite. Após deixá-la, a cada dia que passava minha alegria ficava mais escassa, e temia até mesmo ter aceitado aquela bondade temporária. Comecei, sem motivo, a me sentir terrivelmente preso. Aos poucos, até mesmo o ato mundano de aceitar que Tsuneko assumisse toda minha conta no café começou a pesar sobre mim, e comecei a vê-la, assim como a filha do dono da pensão e a moça do curso de professores, como uma mulher que me ameaçava todo o tempo. Tinha medo dela mesmo quando estávamos distantes. Por minha natureza, sempre senti um medo terrível de ser atacado por uma ira flamejante caso reencontrasse uma das mulheres com quem dormi, e ficava extremamente tímido ao encontrá-las, por isso escolhi ficar longe de Ginza. Essa timidez não era artimanha. É que não há nem a mais remota conexão entre o que as mulheres fazem depois de ir para a cama e o que fazem depois de levantar-se pela manhã. Tal qual uma amnésia total, elas levam suas vidas perfeitamente divididas em duas, e eu ainda não estava acostumado com esse estranho fenômeno.

No final de novembro, saí para beber saquê barato com Horiki em Kanda. Assim que saímos daquela tenda, ele, má companhia, disse que queria beber em outro lugar. Mesmo sem termos mais um centavo, ele insistia dizendo que queria beber. Nessa hora, devido à coragem que eu ganhara com a bebida, disse:

— Certo! Vou levá-lo ao País das Maravilhas. Não vá se espantar com a abundância e o luxo...
— Para um café?
— Isso mesmo.
— Vamos lá!

Com isso, embarcamos em um bonde, com Horiki bastante animado:

— Estou sedento por mulheres esta noite. Posso beijar a garçonete?

Eu não gostava de Horiki quando ele estava nesse estado de embriaguez. Horiki sabia disso e foi por isso que ele insistiu com a ideia.

— Tudo bem? Vou beijá-la. Você vai ver, beijo qualquer garçonete que sentar ao meu lado! Certo?

— Quem se importa?

— Agradeço! Estou sedento por elas!

Descemos do bonde em Ginza e entramos no tal café do luxo e da abundância. Estava sem um centavo no bolso e contava com a ajuda de Tsuneko. Assim que Horiki e eu sentamos frente a frente, Tsuneko e outra garçonete vieram correndo. A outra mulher sentou-se a meu lado e Tsuneko deixou-se cair ao lado de Horiki. Levei um susto: Tsuneko seria beijada por Horiki.

Não era tristeza por perdê-la. Eu não costumava ter grande desejo de posse e, ainda que por vezes vislumbrasse um sentimento de perda, não tinha coragem suficiente para afirmar meus direitos de posse e lutar com alguém por algo. Tanto que, anos mais tarde, observaria em silêncio minha própria esposa ser violentada na minha frente.

Fazia o possível para não me envolver nas maquinações dos seres humanos. Temia ser sugado por esse redemoinho. Meu caso com Tsuneko fora de apenas uma noite. Ela não me pertencia. Eu não deveria sentir nada parecido com tristeza por perdê-la. Mas, mesmo assim, fiquei chocado.

Era pena de Tsuneko, por ela ter de aceitar os beijos indelicados de Horiki enquanto eu assistia. Se ela fosse maculada por ele, Tsuneko certamente teria que se afastar de mim. Porém, minha paixão não era positiva a ponto de detê-la. "É o fim", pensei com um instante de choque pela infelicidade dela, mas logo me resignei a observar, sorrindo, os rostos de Horiki e Tsuneko.

Contudo, a situação se tornou inesperadamente pior.

— Desisti! — disse Horiki, fazendo uma careta. — Mesmo um tipo como eu não pode sair beijando uma pobretona como esta aqui.

Ele cruzou os braços, parecendo sofrer de um desgosto profundo, e ficou encarando Tsuneko com um sorriso forçado.

— Mais bebida. Mas não tenho dinheiro — disse eu para Tsuneko, em voz baixa.

Eu queria me afogar na bebida. Aos olhos de um esnobe, Tsuneko não era digna nem de ser beijada por um ébrio, era apenas uma mulher miserável e que cheirava a pobreza. Inesperada e imprevisivelmente, essa ideia me atingiu como um trovão. Eu bebia mais e mais e, quando meus olhos encontravam os de Tsuneko, sorríamos com tristeza. Eu percebia que, realmente, Horiki tinha razão: ela era, de fato, apenas uma mulher cansada e pobre. Ao mesmo tempo, sentia a intimidade de uma camaradagem surgida da falta de dinheiro (hoje acredito que a desarmonia entre a riqueza e a pobreza, ainda que clichê, é um dos grandes temas do drama), esse sentimento enchia meu peito, sentia carinho por Tsuneko e, pela primeira vez desde que nasci, estava consciente de nutrir ativamente um sentimento de amor, embora frágil, em meu coração. Vomitei. Perdi a consciência. Foi a primeira vez que eu bebi a esse ponto.

Quando acordei, Tsuneko estava sentada ao lado do meu travesseiro. Estávamos em seu quarto, no segundo andar da carpintaria.

— Quando você falou que "o fim do dinheiro é o fim das relações", achei que fosse uma piada, mas era verdade. Você não apareceu mais. Que final complicado. Mesmo se eu trabalhar por você, não dá?

— Não dá.

Depois disso, ela se deitou ao meu lado. Por volta do amanhecer, ela pronunciou pela primeira vez a palavra "morte". Aquela mulher também parecia estar esgotada da condição de ser humano; e sempre que eu pensava sobre meus temores mundanos, como dinheiro, o movimento, mulheres, estudos, parecia-me impossível continuar vivendo e tendo de suportar tudo aquilo. Aceitei sua proposta sem cerimônia.

Todavia, eu ainda não estava preparado para o sentido real daquele "vamos morrer" que ela pronunciara. Em algum lugar, parecia haver um vestígio de brincadeira.

Na tarde desse mesmo dia, passeamos por Asakusa. Entramos em uma cafeteria e tomamos leite.

— Você paga dessa vez — disse ela.

Levantei-me e tirei o porta-níqueis da manga do quimono. Três moedas de cobre. O que me afligiu naquele instante foi mais terror do que vergonha. De súbito, lembrei-me de meu quarto no Recreio do Ermitão, onde restavam apenas meu uniforme escolar e meu acolchoado: um cubículo desolado, desprovido de qualquer coisa que pudesse ser penhorada. Minhas únicas posses eram o quimono que eu vestia e meu sobretudo. Entendi claramente que essa era a minha realidade e que eu não podia continuar vivendo.

Como eu estivesse hesitante, ela ergueu-se, olhou dentro do porta-níqueis e disse:

— Puxa! Você só tem isso?

Perguntou num tom inocente, mas foi o suficiente para provocar em mim uma dor intensa, que vinha das profundezas do meu corpo. Era aquele tipo de dor que só a voz da primeira mulher amada poderia provocar. Seja como for, três moedas de cobre não contam como dinheiro. Aquela era uma humilhação estranha que eu jamais havia experimentado. Uma humilhação com a qual eu não poderia viver. Presumo que naquela época eu ainda não tinha conseguido me desvencilhar do rótulo de filhinho de papai. Naquele momento eu decidi, de verdade, morrer.

Nessa mesma noite, lançamo-nos ao mar de Kamakura.

— Esta faixa é emprestada de uma amiga do café — disse a mulher, desamarrando-a da cintura e colocando-a dobrada sobre uma rocha. Despi meu casaco, o coloquei junto à faixa dela, e entramos juntos na água.

Ela morreu. Eu sobrevivi.

O episódio foi tratado com grande alarde pelos jornais, uma vez que eu era estudante universitário e o nome de meu pai também era conhecido.

Fui confinado em um hospital costeiro, e um parente vindo de minha terra natal resolveu boa parte dos problemas. Antes de ir embora, ele também me disse que, a começar por meu pai, a família toda estava furiosa comigo e que era provável que eu fosse deserdado. Contudo, isso não me importava. Eu pensava em Tsuneko com saudades e chorava o tempo todo. Até hoje, aquela mulher miserável foi a única que amei.

Recebi uma longa carta da moça da pensão, contendo cinquenta poemas *tanka*. "Viva por mim" — era desse modo estranho que começavam todos os cinquenta poemas. As enfermeiras vinham alegres e sorridentes passear no meu quarto, e algumas apertavam minha mão com força antes de sair.

No hospital, descobriram que meu pulmão esquerdo havia sido afetado. Isso veio a calhar, pois eu fora acusado de cumplicidade no suicídio, e fui levado do hospital à polícia. No entanto, por estar enfermo, colocaram-me numa sala especial.

No meio da noite, o guarda noturno que ficava na sala ao lado da minha abriu a porta e disse:

— Ei! Você deve estar com frio. Venha para perto do fogo.

Fingindo uma tristeza exagerada, fui até a sala de vigia, puxei uma cadeira e me aqueci junto ao braseiro.

— Você gostava da mulher que morreu, não?

— Sim — respondi, com uma voz baixa e retraída.

— É mesmo a natureza humana.

Gradualmente, ele ia tomando uma atitude mais soberba.

— Onde foi que você a conheceu?

Ele me questionava com a presunção de um juiz numa corte. Aquele homem, desprezando-me como se eu fosse uma criança, matava o tempo de sua noite de outono me interrogando como se fosse, ele próprio, o encarregado da investigação. Estava claro que sua intenção era arrancar de mim as lembranças do passado em forma de história pornográfica. Compreendi num instante sua intenção e tive de fazer um esforço sobre-humano para não gargalhar na sua cara. Estava ciente de que não precisava responder a nenhuma pergunta do "interrogatório informal" daquele guarda; entretanto, para deixar a longa noite de outono um pouco mais interessante, eu respondia às perguntas com docilidade, como se o guarda fosse de fato o responsável pela investigação e o abrandamento da pena dependesse unicamente de seu parecer. Com o semblante transparecendo essa certeza, fiz uma "declaração" absurda o suficiente para satisfazer de forma razoável sua curiosidade.

— Certo. Acho que entendi tudo. Sempre levamos em consideração quando nos respondem com honestidade.

— Obrigado. Espero poder contar com sua ajuda.

Fora uma atuação realmente divina. Uma performance brilhante de verve que não me traria benefício algum.

Ao amanhecer, fui chamado a comparecer à sala do delegado. Chegara a vez da investigação de verdade.

Assim que abri a porta da sala, ele disse:

— Mas que belo rapaz! Aposto que a culpa não foi sua. A culpa toda é de sua mãe, por ter dado à luz um homem tão bonito!

Ele era jovem, de pele escura e com ares de educação universitária. Ao ouvir inesperadamente aquelas palavras, fiquei sem saber o que fazer e me senti como se tivesse uma deformidade, uma mancha a cobrir-me metade do rosto.

A investigação conduzida por aquele delegado que mais parecia um praticante de judô ou kendô era bem simples, o oposto da "investigação" obstinada do velho guarda lascivo da madrugada anterior. Acabado o interrogatório, enquanto preenchia um formulário a ser enviado à promotoria pública, o delegado me disse:

— Você precisa cuidar da saúde, hein? Você andou tossindo sangue, não foi?

Naquela manhã, eu estava com uma tosse estranha e, toda vez que tossia, cobria a boca com um lenço, no qual deixava um rastro de gotículas de sangue. Contudo, esse sangue não provinha de minha garganta: na noite anterior, eu havia mexido em uma espinha que surgira embaixo de minha orelha e o sangue era dali. Percebendo que seria uma vantagem não revelar a verdade, baixei os olhos e respondi simplesmente:

— Sim.

Quando ele terminou de preencher o formulário, disse:

— É a promotoria que vai decidir se você será processado ou não, mas de todo modo seria bom dar um telefonema ou mandar um telegrama para seu responsável, pedindo para que compareça à promotoria pública de Yokohama. Deve haver alguém que lhe ofereça proteção ou apoio, não?

Foi então que me lembrei de que havia um conterrâneo meu que aparecia na casa de Tóquio com frequência. Chamava-se Shibuta e era dono de um antiquário. Era um dos aduladores de meu pai: um homem atarracado, de seus 40 anos, solteiro, e que servira de fiador quando eu estava na escola. O rosto desse homem, em especial seus olhos estrábicos, lembrava muito um linguado, de modo que meu pai sempre o chamava assim. Me acostumei a chamá-lo da mesma maneira.

Peguei emprestada a lista telefônica da delegacia e procurei o número da casa de Linguado. Assim que o encontrei, telefonei para ele e pedi para que viesse ao escritório da promotoria de Yokohama. Linguado não parecia a mesma pessoa, com seu tom de voz agora altivo; ainda assim, aceitou ser meu protetor.

Eu já havia retornado à sala de repouso quando pude ouvir os gritos do delegado aos demais policiais:

— Hei! Alguém tem que desinfetar esse telefone, ele está tossindo sangue.

De tarde amarraram meus pulsos com uma fina corda de sisal, e me permitiram escondê-los sob o casaco, mas um jovem policial segurava a extremidade da corda com firmeza. Dirigimo-nos a Yokohama de trem.

Entretanto, eu não estava nem um pouco preocupado, chegava mesmo a sentir saudades da sala especial da delegacia e até mesmo do velho guarda. Ah! Por que será que eu sou assim? Quando me amarraram como se eu fosse um criminoso, cheguei mesmo a me sentir aliviado: fiquei calmo e relaxado. Escrevendo agora sobre as lembranças desse tempo, sinto-me verdadeiramente leve.

Contudo, entre as memórias *nostálgicas* dessa época, existe apenas uma que me faz suar frio, uma tragédia que jamais poderei esquecer. Eu passei por um interrogatório simples na sala escura do promotor. Este, um homem calmo de seus 40 anos (eu talvez fosse bem-apessoado, mas não há dúvida de que era belo de uma maneira lasciva; o rosto daquele promotor, por sua vez, era o que se podia chamar de "honesta boa aparência", e passava uma impressão de tranquilidade perspicaz), não parecia ser do tipo que se atém a detalhes. Assim, deixei de lado meu estado de alerta e dava minha declaração distraído, quando minha tosse voltou. Retirei meu lenço da manga do quimono, vi o sangue e, oportunista, pensei que aquilo talvez pudesse me auxiliar outra vez. Forcei mais duas tossidas exageradas e, ainda com o lenço sobre a boca, olhei por um segundo para o promotor, que perguntou, sorrindo calmamente:

— Verdade?

Fiquei apavorado. Não: mesmo lembrando daquilo agora, ainda fico inquieto. Não é exagero dizer que foi ainda pior do que quando fui jogado no inferno, na época da escola das cerejeiras, quando o idiota do Takeichi disse pelas minhas costas que eu havia caído no chão de propósito. Tanto aquela falha quanto esta estão registradas como os dois maiores erros de atuação da minha vida. Às vezes, chego a pensar que teria sido melhor ser sentenciado a dez anos de prisão do que sofrer o desprezo silencioso do promotor.

O processo contra mim foi arquivado. Porém, isso não me trouxe alegria nenhuma: sentindo-me desgraçado como jamais alguém o fora, sentei-me no banco da sala de espera do promotor e fiquei aguardando a chegada de meu protetor, Linguado.

Através das altas janelas atrás de meu banco, podia ver as gaivotas voando no céu do fim de tarde, e seu formato era tal qual o do caractere chinês que significa "mulher".

Terceiro caderno

Parte um

Uma das profecias de Takeichi se realizou; a outra, nem chegou perto de se efetivar. A de que as mulheres se apaixonariam por mim foi a que se tornou realidade; por outro lado, a auspiciosa profecia de que eu me tornaria um grande pintor caiu por terra.

Não consegui nada além do posto de cartunista inepto e desconhecido de uma revista de segunda categoria.

Fui expulso da faculdade devido ao que acontecera em Kamakura. E vivia agora num quarto minúsculo, no segundo andar da casa de Linguado. Todo mês, pequenas quantias de dinheiro eram enviadas de minha cidade natal, porém nunca diretamente endereçadas a mim, mas sim a Linguado (além do mais, creio que esse dinheiro era enviado por meus irmãos, sem o conhecimento de meu pai). Fora isso, toda e qualquer conexão com minha família havia sido cortada. O mau humor de Linguado era constante; mesmo quando eu forçava um sorriso, ele não sorria de volta. A diferença era tão notável que me parecia perverso — ou talvez cômico — o quão rápido os seres humanos se transformam, com a mesma facilidade com que abrem e fecham as mãos.

— Você não pode sair. Seja como for, não saia de casa — ele vivia me dizendo.

Linguado parecia estar de olho em mim, com medo de que eu cometesse suicídio, como se houvesse o perigo de que eu me jogasse ao mar atrás daquela mulher, de modo que me proibiu estritamente de sair de casa. Privado de beber saquê e de fumar, a única coisa que eu podia fazer, desde o instante em que acordava pela manhã até a hora de dormir à noite, era ficar no meu cubículo lendo revistas velhas, feito um idiota. Até mesmo o desejo de me suicidar eu já havia perdido.

A casa de Linguado ficava perto da Escola Médica Okubo, e ostentava uma placa com letras chamativas, nas quais se lia: "Jardim do Dragão Azul — Antiquário." A entrada da loja era estreita e seu interior repleto de pó e bugigangas (isso não significava que Linguado dependia da venda dessa tralha para viver. Aparentemente, ele ganhava dinheiro executando a transferência de posses secretas de um cliente a outro, sem pagar impostos). Ele quase nunca estava na loja: saía às pressas pela manhã, com um ar aflito, e deixava um rapaz de 17 anos para tomar conta da loja. Este último, que devia me vigiar, assim que tinha uma folga ia para a rua jogar bola com os meninos da vizinhança. Ele devia considerar o parasita do segundo andar um idiota ou então um maluco. Chegava a me dar sermões, no papel de mais velho e mais sábio. Como eu nunca fora capaz de discutir, escutava submisso, com uma expressão dúbia de cansaço e interesse. Lembro-me de ter ouvido de meus familiares, em casa, boatos sobre esse rapaz ser um filho ilegítimo de Shibuta, porém, por algum motivo estranho, não se tratavam por pai e filho, e Shibuta sempre fora solteiro. Devia haver alguma razão para isso. Contudo, já que não me interesso muito pela vida de outras pessoas, não sei mais nada além disso. Há algo no olhar do rapaz que lembra um peixe, o que me faz pensar que possa existir um fundo de verdade no boato... Porém, se é este o caso, eram uma família verdadeiramente triste. Às vezes, tarde da noite, eles encomendavam *soba* ou algo do tipo, escondido de mim, e comiam sem trocar uma só palavra.

O rapaz sempre preparava as refeições na casa de Linguado, e três vezes por dia trazia uma bandeja com a comida do parasita do segundo andar. Depois disso, na salinha úmida embaixo da escada, os dois comiam com tanta pressa que eu podia ouvir a louça se chocando.

No entardecer de um dia em fins de março, talvez devido a algum inesperado sucesso financeiro, ou por algum outro estratagema (e mesmo supondo que ambas as hipóteses estivessem corretas, imagino que houvesse ainda mais razões que minhas conjecturas não são capazes de perceber), Linguado me chamou para o andar de baixo, para um jantar com saquê, o que era raro. O próprio anfitrião, desconcertado pela visão de finas fatias, não de linguado mas de atum, em sua admiração expansiva chegou mesmo a oferecer saquê ao hóspede indesejado.

— O que você pretende fazer, afinal? Daqui para frente?

Sem responder, peguei uma sardinha seca e, enquanto admirava seus pequeninos olhos prateados, pouco a pouco a embriaguez se fez presente. Ela me trouxe saudades de meus dias de diversão e até mesmo de Horiki. Desejei tanto a liberdade que, de repente, estava quase chorando.

Desde que viera para a casa de Linguado, eu perdera todo o incentivo para as palhaçadas: vivia prostrado, alvo constante dos olhares escarnecedores daqueles dois. O próprio Linguado parecia evitar conversas mais longas e francas e, de minha parte, também não havia nenhum desejo de correr atrás dele para me lamentar. Eu havia me tornado quase que por completo um verdadeiro parasita.

— Com o arquivamento do processo, ao que tudo indica você não será fichado como criminoso. Sendo assim, bem, se você estiver disposto, pode recomeçar a vida. Se você se reabilitar e vier a mim pedir conselhos com seriedade, posso pensar em como ajudá-lo.

A maneira de falar de Linguado — não, a maneira de falar de todas as pessoas do mundo — possui algo de lacunar, uma complexidade elusiva, semelhante a alguém que não quer se posicionar sobre determinado assunto. Os cuidados infrutíferos e as inúmeras e irritantes táticas me deixavam sempre perplexo. Pensando "quem se importa?!", eu me livrava de tudo com alguma palhaçada; ou então apenas aceitava o que fosse, balançando a cabeça em silêncio, em atitude de derrota.

Anos mais tarde, me dei conta de que, se naquela época Linguado virasse para mim e expusesse os fatos de forma simples, teria sido suficiente. Graças à sua preocupação desnecessária, ou melhor, a frivolidade incompreensível dos seres humanos em geral, seu apego pelas aparências, passei por grandes tristezas.

Tudo que Linguado precisaria me dizer naquela hora era: "Não importa se for pública ou particular, a partir de abril você deve entrar em alguma escola. Assim que você retomar seus estudos, sua família voltará a lhe enviar a quantia necessária para seus gastos."

É evidente que só compreendi tudo isso muito mais tarde, mas esses eram os fatos. Se assim me tivessem dito, eu certamente teria obedecido. Contudo, Linguado, com sua conversa preocupada e cheia de rodeios, só conseguiu agravar a situação e fazer com que a minha vida mudasse de rumo.

— Se você não deseja conversar sobre seus problemas comigo, não há mais nada que eu possa fazer.

— Que problemas?

Eu realmente não tinha ideia do que ele estava falando.

— O que você leva no peito, é claro.

— Por exemplo?

— "Por exemplo?" Quero saber o que você pretende fazer daqui em diante.

— Será que eu deveria arranjar um trabalho?

— Não, o que você realmente gostaria de fazer?

— É que, se eu for entrar numa escola...

— Para isso é necessário dinheiro. Mas o problema agora não é dinheiro, e sim saber o que você quer.

Fico imaginando por que ele não mencionou que o dinheiro seria enviado de minha terra natal. Esse único ponto teria definido meus sentimentos, mas eu estava às escuras.

— E então? Você tem algo como uma expectativa para o futuro? Presumo que a pessoa auxiliada não tenha noção do quão difícil é prestar auxílio a alguém.

— Desculpe-me.

— Estou mesmo preocupado com você. Já que sou seu responsável provisoriamente, não quero que você se sinta perdido. Quero que você me mostre que consegue fazer uma bela mudança na sua vida. Se, por exemplo, você vier até mim pedindo conselhos sobre o rumo do seu futuro, eu tentarei ajudá-lo. De qualquer maneira, quem está te ajudando é este pobre Linguado, então caso você deseje retornar ao luxo de antes, não poderei fazer nada. Apesar disso, se você estiver determinado a planejar seu futuro e quiser minha orientação, penso poder ajudá-lo. Você entende a minha posição? Afinal, o que você pretende fazer daqui em diante?

— Se não puder ficar aqui no segundo andar, vou trabalhar.

— Está falando sério? Hoje em dia, nem mesmo os graduados pela Universidade Imperial de Tóquio conseguem emprego.

— Não. Não quero entrar em alguma empresa.

— Mas então...?

— Quero ser artista — disse com convicção.

— Como é?!

Nunca poderei esquecer a aura negra que cobriu o rosto de Linguado ao encolher os ombros e rir. Parecia desprezo, mas não era isso: se o mundo humano fosse um oceano, essa seria a sombra sinistra que vaga nas mais amplas profundezas. Seu sorriso me mostrou, num relance, o âmago da vida adulta.

Ele me disse então que aquela conversa não levaria a lugar nenhum, que eu não tinha resoluções e que deveria pensar melhor durante aquela noite. Subi para o segundo andar como se estivesse sendo perseguido e, mesmo deitado, não conseguia pensar em nada. Assim que amanheceu, fugi da casa de Linguado.

"Volto sem falta ao entardecer. Saí para pedir conselhos sobre o rumo de meu futuro ao amigo que menciono a seguir. Não precisa se preocupar. É sério."

Escrevi isso a lápis, numa folha de papel, adicionando o nome e o endereço de Masao Horiki em Asakusa, e saí furtivamente de casa.

Isso não significa que eu tenha fugido por ficar abalado com seu sermão. Como ele mesmo havia dito, eu era um homem sem resoluções, sem noção nenhuma sobre o rumo do próprio futuro, e mais: tinha pena de Linguado por eu ser um estorvo em sua casa. E se, por acaso, eu tivesse uma injeção de ânimo e decidisse fazer alguma coisa, a ideia de forçar o pobre Linguado a arcar com os gastos da minha mudança de vida era insuportável.

Contudo, eu não havia ido embora pensando em conversar seriamente com Horiki sobre o "rumo do meu futuro". Queria apenas tranquilizar Linguado, nem que fosse apenas por um instante (não escrevi o recado como um estratagema de um romance policial, a fim de ganhar um pouco mais de tempo para minha fuga rumo a um local distante — embora eu certamente desejasse um pouco isso; talvez o mais correto seja dizer que eu temia chocar Linguado de modo abrupto, deixando-o alarmado e confuso. Uma de minhas trágicas qualidades é que, mesmo sabendo que serei descoberto, tenho medo de dizer a verdade e, por isso, acabo mascarando a realidade. É algo parecido com o que se costuma chamar depreciativamente de "mentiroso", mas eu quase nunca adornei a verdade esperando beneficiar-me com isso: sentia um pavor sufocante de esfriar, de modo brusco, o clima de um diálogo e, mesmo quando sabia que aquilo mais tarde se transformaria em desvantagem para mim, me sentia compelido a prestar meus "favores desesperados". Esse devia ser um tipo deformado de fraqueza, uma idiotice, entretanto, esse sentimento de agradar os outros fazia com que eu terminasse por sempre enfeitar os fatos. Tal costume arraigado foi aproveitado oportunamente pelos chamados "homens honestos" do mundo), por isso eu anotara o nome e o endereço de Horiki no canto do recado.

Deixando a casa de Linguado, caminhei até Shinjuku, vendi os livros que tinha nos bolsos, e fiquei desnorteado. Ainda que sempre me esforçasse para ser agradável com todos, jamais experimentei uma verdadeira amizade. Fora os companheiros de diversão como Horiki, só tenho más lembranças de minhas relações com outras pessoas, de modo que, para me desenlaçar dessas relações, eu intensificava minhas brincadeiras, mas elas apenas me deixavam mais exausto. Ficava apavorado ao ver de relance na multidão o rosto de alguém que eu conhecesse, ou que fosse parecido com um de meus conhecidos. Chegava a ter vertigens, tamanho era o desconforto que me assaltava. Sei que as pessoas gostam de mim, apenas me falta a capacidade de amar alguém. (Embora eu tenha minhas dúvidas se os seres humanos, em geral, têm essa capacidade de "amar".) Sendo assim, era difícil supor que eu pudesse ter algo como um "amigo íntimo" — além do mais, eu não tinha sequer a habilidade de "fazer visitas". O portão da casa de uma pessoa me atemoriza mais do que a porta do inferno da *Divina comédia*, e não exagero quando digo que sinto como se houvesse algum monstro horrível, um dragão, contorcendo-se e cheirando a carniça atrás dessas portas.

Eu não tinha amigos. Eu não tinha para onde ir.

Horiki.

Foi um caso típico de uma brincadeira que acaba virando verdade. Decidi visitar Horiki em Asakusa, tal qual eu havia exposto no bilhete. Até aquele momento, nunca o havia visitado em sua casa, pois sempre o chamava por meio de telegramas. Agora, entretanto, eu não queria gastar sequer o valor do telegrama. Além disso, com o complexo de inferioridade de um homem que caíra em desgraça, pensava que Horiki talvez não viesse me encontrar apenas por causa de um telegrama. Decidido a lhe fazer uma "visita", a coisa mais difícil que havia para mim, tomei um bonde com um suspiro. Pensar que minha única esperança no mundo inteiro era o tal Horiki me dava terríveis arrepios na espinha.

Ele estava em casa. Vivia numa casa de dois andares de uma viela suja, porém ocupava apenas um quarto médio de seis tatames: no andar térreo, seus pais e um jovem empregado produziam tiras para sandálias *geta*[11].

Horiki, nesse dia, me mostrou um novo aspecto do cidadão metropolitano. Era o que o vulgo costuma chamar de "malandragem". Um egoísmo tão frio e malicioso que

---

11. Sandálias de madeira. [N.T.]

um garoto interiorano como eu só podia observar com perplexidade. Ele não era um homem simples, que se deixava levar, como eu era.

— Fiquei chocado com você! Seu pai já te perdoou? Ainda não?

Eu não conseguia dizer que havia fugido.

Como sempre, disfarcei. Menti para ele, mesmo sabendo que logo seria desmascarado.

— Bem, as coisas devem se resolver sozinhas — disse.

— Hei! Isso não é motivo de brincadeiras. Deixe eu lhe dar uma advertência: é melhor ir parando com as idiotices por aqui. Hoje tenho um compromisso. Ultimamente tenho andado muitíssimo atarefado.

— Com o quê?

— Hei! Não arrebente a linha da almofada!

Enquanto conversávamos, eu mexia sem perceber em uma daquelas linhas que formam pompons nas quatro pontas da almofada — acho que se chamam linhas de alinhavar ou linhas de atar —, puxando-a com força. Horiki parecia ter ciúmes de todos os objetos de sua casa, até mesmo dos fios das almofadas. Sem o menor embaraço, ele me fitava com reprovação. Pensando bem, Horiki não tivera absolutamente nenhum prejuízo pela nossa amizade até então.

A idosa mãe de Horiki entrou trazendo duas tigelas de *shiruko*, mingau de feijão doce.

— Ora! Mas o que temos aqui?

Horiki falava do fundo do coração, como um filho obediente, embaraçado em frente à sua mãe, com palavras num tom tão polido que soavam artificiais.

— Desculpe o incômodo! É *shiruko,* não? Que maravilha! Não precisava ter se incomodado. Eu estava saindo porque tenho uns afazeres. Mas não posso me permitir desperdiçar seu famoso *shiruko*! Obrigado. Você também, que tal um pouco? Minha mãe se deu ao trabalho de preparar. Ah, delicioso! Que maravilha!

E então, sem aparentar nem um pouco que estivesse encenando, comeu com gosto, muito contente. Eu também comi a minha porção, ainda que ela fosse aguada e o bolinho de arroz no fundo da tigela não fosse o esperado bolinho de arroz, mas sim algo que não pude identificar. Eu, de maneira nenhuma, desprezava aquela pobreza (naquele momento, não pensei que o mingau tivesse gosto ruim, e estava realmente agradecido pela bondade da velha senhora. É verdade que eu temia a pobreza, mas jamais pretendi menosprezá-la). Horiki e aquele mingau, que ele comia com alegria, me ensinaram uma lição sobre a parcimônia das pessoas da cidade e sobre como é a vida em um lar em Tóquio, onde os integrantes de uma família são completamente diferentes dentro e fora de casa. Fiquei impressionado com essas mostras de que eu, um tolo incapaz de distinguir entre a vida em família e fora dela e sempre tentando fugir da sociedade humana, havia sido completamente abandonado, deixado de lado até mesmo por Horiki. Só gostaria de deixar registrada a tristeza avassaladora que senti enquanto comia o mingau com os *hashi* de laquê descascados.

— Desculpe-me, mas hoje eu tenho assuntos a tratar — disse Horiki, erguendo-se, e, enquanto vestia seu casaco, completou: — Preciso ir. Desculpe-me.

Nisso, apareceu uma visitante para ele, que fez com que minha sorte mudasse drasticamente de direção.

Horiki animou-se no mesmo instante.

— Puxa vida, me desculpe! Eu estava mesmo indo falar com você quando esta pessoa chegou de repente para conversar comigo. Não, não se preocupe. Por favor, queira entrar.

Ele ficou atarantado. Entreguei a ele a almofada em que estava sentado, virando-a ao contrário. Ele a arrancou de minhas mãos, virou-a novamente e a ofereceu à mulher. Além da almofada de Horiki, havia apenas mais uma para as visitas na casa toda.

A mulher era magra e alta. Empurrando a almofada para outro lado, sentou-se num canto perto da porta de entrada.

Escutei, distraído, a conversa dos dois. A mulher parecia trabalhar para uma revista e havia pedido para Horiki fazer algumas gravuras ou coisa parecida, que ela vinha agora buscar.

— Estou com muita pressa...

— Estão prontas. Estão prontas já faz um tempo. Aqui estão.

Nesse momento, um mensageiro chegou trazendo um telegrama.

Enquanto ele lia o papel, eu podia ver seu bom humor se transformando em hostilidade.

— Mas o quê? Que diabos você andou aprontando?

Era um telegrama de Linguado.

— Seja como for, você deve voltar para casa imediatamente. O melhor seria eu levar você até lá, mas estou ocupado. Foge de casa e me aparece com essa cara de despreocupado!

— Onde é que você mora? — perguntou a mulher.

— Em Okubo — respondi de pronto.

— Bem, minha empresa fica ali perto.

A mulher nascera em Koshu, a região de Yamanashi, e tinha 26 anos. Morava com a filha de 5 anos num apartamento em Koenji. Contou-me que seu marido morrera havia três anos.

— Parece que você teve uma vida difícil. Você é tão sensível, sinto pena de você.

Pela primeira vez em minha vida, vivi como gigolô. Depois que Shizuko (esse era o nome da jornalista) saía para trabalhar na revista em Shinjuku, eu e sua filha, Shigeko, ficávamos tomando conta do apartamento. Até então, quando a mãe estava fora, Shigeko ficava brincando no apartamento do zelador, e ficou muito contente quando este "titio sensível" apareceu para ser seu parceiro de brincadeiras.

Uma semana inteira se passou sem que eu percebesse. Da janela do apartamento, podia ver bem de perto um papagaio de papel enrolado nos cabos telegráficos. Ele estava rasgado, açoitado pelo vento primaveril, mas, apesar disso, resistia enroscado nos cabos e não se desvencilhava dali, balançando como quem acena com a cabeça a concordar. Toda vez que olhava para o papagaio, sorria com certa amargura, e sua lembrança me perseguia inclusive em sonhos.

— Preciso de dinheiro.

— De quanto? — perguntou Shizuko.

— Muito. Dizem que o fim do dinheiro é o fim das relações... É verdade.

— Que bobagem. Uma expressão tão fora de moda...

— Ah, é? Mas você não compreende. Se eu continuar assim, provavelmente vou acabar fugindo.

— Afinal de contas, qual de nós aqui é o pobre? E quem será que vai acabar fugindo? Que tolice!

— Quero trabalhar e comprar bebidas, digo, cigarros, com meu próprio dinheiro. Se tiver que desenhar, posso desenhar muito melhor do que Horiki.

Naquele momento, o que surgiu na minha mente foram os autorretratos que eu pintara na época de escola, e que Takeichi chamara de "fantasmas". Obras-primas perdidas. Elas se perderam conforme eu mudava de casa, mas desconfio que foram as únicas obras realmente boas que produzi. Depois delas, por mais que tentasse pintar os mais diversos motivos, os resultados sempre ficavam aquém, meros arremedos daqueles magníficos quadros de outrora. Eu era perseguido por um sentimento pesado de perda, como se tivesse um buraco no peito.

O copo de absinto que eu não terminara de beber.

Era assim que eu descrevia, para mim mesmo, esse sentimento eterno e irreparável de perda. Quando a conversa ia para o lado da pintura, esse copo de absinto que eu não bebera por completo descia flutuando bem em frente aos meus olhos. Ah! Eu me impacientava com a angústia de querer mostrar aquelas pinturas, para que acreditassem na minha aptidão artística.

— Hehehe. É mesmo? Você é adorável quando faz piadas com essa cara séria.

Não era piada, era verdade! "Ah, se ao menos eu pudesse mostrar-lhe aquelas pinturas!", pensei, me agoniando em vão, mas de súbito meu desgosto deu lugar à renúncia.

— Mangás. Com certeza posso desenhar mangás melhor do que Horiki — essas palavras, ditas pelo palhaço, foram levadas mais a sério do que a própria verdade.

— É mesmo... Na verdade, fiquei muito interessada nos desenhos que você costuma fazer para Shigeko. Eu mesma não posso conter o riso ao olhar para eles. Que tal tentar? Vou ver se falo com o editor da revista — essa editora publicava uma revista mensal para crianças, não muito conhecida. — Basta dar uma olhada em você para que a maioria das mulheres queira ajudá-lo de maneira incondicional. Você é sempre tão medroso e, no entanto, tão engraçado. Às vezes você parece estar no limite máximo da tristeza, e é essa imagem que arrebata o coração das mulheres.

Shizuko me elogiava dessa e de outras maneiras, mas quando pensava que essas eram apenas as características asquerosas de um gigolô, eu me afundava cada vez mais em minha depressão, completamente sem forças. Mais do que mulheres, dinheiro: precisava fugir de Shizuko a qualquer custo e viver por conta própria. Fiz planos de todos os tipos, mas só ficava cada vez mais dependente dela. Essa mulher forte tratou das complicações acarretadas pela minha fuga de casa e tomou conta de mim, o que só fez aumentar meu receio em relação a ela.

Shizuko encarregou-se de organizar uma reunião com Linguado e Horiki, que teve como resultado o corte total de relações entre mim e minha família. Depois disso, passamos a viver "oficialmente juntos", como marido e mulher. Graças também aos esforços de Shizuko, meus mangás geravam algum dinheiro, que eu usava para comprar bebidas e cigarros. Meu desânimo e minha melancolia, entretanto, só cresciam. Eu havia afundado até o cerne de minha tristeza. Por vezes, enquanto desenhava a série de quadrinhos *As aventuras de Kinta e Ota* para a revista de Shizuko, a lembrança de minha terra natal fazia com que meu coração ficasse tão apertado que minha caneta parava de se mover sobre o papel, e eu ficava com o olhar perdido em meio às lágrimas que rolavam.

Em momentos assim, minha única e parca salvação vinha de Shigeko. Nessa época, ela já me chamava de "papai" sem hesitar.

— Papai, é verdade que, quando rezamos para Deus, ele nos dá o que pedimos?

Imaginei que eu mesmo gostaria de fazer uma prece assim: "Oh! Concedei-me uma determinação de gelo. Fazei com que eu conheça a essência do 'ser humano'. Não é pecado um homem passar sobre outro homem? Concedei-me a máscara do ódio."

— É sim. Tenho certeza de que Ele dará qualquer coisa que você pedir; já para o papai, creio que não.

Eu temia inclusive a Deus. Não podia crer em amor divino, apenas em punição divina. Fé. Isso, para mim, era como encarar cabisbaixo o tribunal dos céus, somente para poder receber uma chicotada de Deus. Ainda que acreditasse no inferno, por mais que tentasse, não podia acreditar na existência do céu.

— Por que não?

— Porque eu desobedeci meu pai.

— É mesmo? Mas todo mundo diz que você é uma pessoa muito boa!

Isso é porque os enganei. Eu estava ciente de que todos no apartamento gostavam de mim, no entanto era extremamente difícil explicar para Shigeko a infelicidade vinda dessa minha patologia. Quanto mais eu temia os seres humanos, mais eles me amavam, e quanto mais eles me amavam, mais eu os temia, o que acabava por fazer com que me afastasse de todos.

— Shigeko, afinal de contas, o que você quer pedir a Deus? — perguntei casualmente, para mudar o rumo da conversa.

— Quero meu verdadeiro papai de volta.

O choque me deu vertigens. Inimigo. Era Shigeko minha inimiga ou eu o dela? De todo modo, o rosto de Shigeko subitamente me pareceu o de um estranho, um estranho incompreensível, um estranho repleto de mistério, como se até mesmo aqui houvesse um adulto horripilante e ameaçador.

Eu me iludira pensando que Shigeko fosse inocente, mas mesmo ela possuía aquele "rabo de vaca que mata a mosca com um golpe inesperado". A partir daquele momento, eu passei a temer até mesmo aquela criança.

— Está em casa, tarado?

Horiki passara a visitar-me em casa. Apesar de ele ter me tratado tão mal no dia em que eu fugira, eu não conseguia recusar suas visitas e recebia-o com um leve sorriso no rosto.

— Parece que seus mangás estão ficando famosos, hein! Os amadores com sua coragem temerária desconhecem o perigo, por isso mesmo não dá para competir. Mesmo assim, fique atento: seus desenhos ainda têm muito que melhorar.

Ele ousava bancar o mestre comigo. "Se eu mostrasse aquelas pinturas de 'fantasmas' para esse sujeito, que cara será que ele faria?", pensei, na vã agonia de sempre, mas limitei-me a dizer:

— Não diga isso. Vai me fazer chorar.

Horiki parecia cheio de satisfação.

— Esse seu talento para levar a vida, um dia, encontra seu fim.

Talento para levar a vida. Eu não pude fazer nada além de dar uma risada sem graça. Talento para levar a vida, eu? Todavia, ocorreu-me que uma pessoa como eu, que teme os seres humanos, que os evita e os engana, é, aos olhos dos outros, muito parecida com alguém que vive a vida com astúcia e malandragem, como o dito popular que diz para "não mexer com quem está quieto".

Ah! Será que os seres humanos não entendem nada de seus próximos, veem os outros de forma completamente equivocada? E que, mesmo assim, sem se dar conta disso, elegem por toda a vida alguns como melhores amigos, e quando estes morrem, discursam aos prantos no seu funeral?

De qualquer forma, Horiki havia participado dos acertos para minha saída da família (ainda que tenha feito isso com relutância, apenas por causa da pressão de Shizuko), e se achava um dos benfeitores de minha nova vida, ou um grande casamenteiro. Seu rosto enchia-se de fria gravidade enquanto me dava sermões. Algumas vezes, ele aparecia na calada da noite, completamente embriagado, e dormia no apartamento. Outras vezes, ele vinha pedir cinco ienes emprestados (eram sempre cinco).

— Já está na hora de você parar com suas aventuras com mulheres. Se você ultrapassar este ponto, a sociedade não irá perdoá-lo.

Mas afinal de contas, o que é a sociedade? Seria o plural de "ser humano"? Onde fica a substância dessa tal sociedade? Seja como for, eu havia passado minha vida toda imaginando que a sociedade fosse algo possante, terrível e amedrontador. Porém, quando Horiki disse aquilo, pensei num segundo: "Sociedade? Você quer dizer você mesmo, não?"

As palavras me vieram até a ponta da língua, mas como não me agradava a ideia de irritar Horiki, as segurei.

(A sociedade não permitirá isso.)
(Não é a sociedade. É você quem não permitirá, não é verdade?)
(Se você fizer isso, a sociedade lhe dará uma lição.)
(Não é a sociedade, mas sim você, não é mesmo?)
(Quando menos esperar, você será ignorado pela sociedade.)
(Não é a sociedade. É você quem vai me ignorar, não é?)

Inúmeras palavras iam e vinham dentro de meu peito. "Conheçais vós, vossa própria pusilanimidade, vossos mistérios, vossa perversidade, vossa ardileza e vossa feitiçaria." No entanto, tudo o que eu consegui fazer foi apanhar um lenço para enxugar meu rosto e dizer sorrindo:

— Estou suando!

Daquele momento em diante, passei a ter isso quase como uma filosofia de vida: a sociedade não passa de indivíduos, não?

Desde que comecei a suspeitar que a sociedade fossem apenas os indivíduos, consegui, ainda que somente um pouco, agir mais de acordo com meus próprios desejos. Nas palavras de Shizuko, eu ficara um pouco mais egoísta e menos temeroso. Já segundo Horiki, eu fora tomado por uma forma particular de mesquinharia. Por último, de acordo com Shigeko, eu já não era carinhoso como fora outrora.

Taciturno, sem sorrir, passava meus dias tomando conta de Shigeko enquanto desenhava *As aventuras de Kinta e Ota* ou *O monge pacato*, que era uma imitação evidente de *O pai pacato*, ou *O coelho impaciente*, histórias com títulos tão mal escolhidos que nem eu os entendia. Eu fazia esses mangás encomendados pelas editoras (aos poucos, comecei a receber pedidos de outras empresas, editoras de terceira categoria, de classe ainda mais baixa do que a de Shizuko) com verdadeira melancolia, arrastando o pincel (sempre fui um desenhista lento), apenas para obter o dinheiro das bebidas. E, quando Shizuko chegava em casa, como se nos revezássemos, eu saía sem dizer nada e ia até alguma tenda ou boteco próximos à estação de Koenji, para beber algo forte e barato, e poder voltar ao apartamento um pouco mais alegre e dizer:

— Quanto mais olho para você, mais estranha acho a

sua fisionomia. Sabia que eu me inspirei na sua cara dormindo para fazer os desenhos do *O monge pacato*?

— E a sua cara quando dorme? Está acabado. Parece um homem de 40 anos.

— Pois a culpa é sua. Você fica me sugando. A vida de um homem é como a correnteza de um rio. Por que tanta aflição? Os salgueiros à beira do rio...

— Trate de se aquietar e vá logo para a cama. Ou você prefere que eu prepare o jantar para você?

Ela estava sempre calma e não se importava com o que eu dizia.

— Se tiver algo para beber, eu quero. "A vida de um homem é como a correnteza de um rio. O rio de um homem...", não. "A correnteza do rio, a vida de um homem."

Enquanto eu cantava, Shizuko me despia. Eu dormia pressionando minha testa contra seu peito. Era essa a nossa rotina diária.

E então, na manhã seguinte, tudo recomeçava igual
Bastava apenas seguir os costumes da véspera
E quem pode evitar as grandes alegrias rudes
Naturalmente também evita as grandes dores
Como um sapo que contorna uma pedra em seu caminho.

Quando li esses versos de Guy-Charles Cros, na tradução de Toshi Ueda, senti meu rosto avermelhar-se como se estivesse em chamas.

O sapo.

(É isso que eu sou, um sapo. Não importa se a sociedade permite ou não. Se vai me ignorar ou não. Sou um animal mais reles que um cão, que um gato. Um sapo. Que se move lentamente.)

Meu consumo de álcool aumentava cada vez mais. Saía para beber não apenas nos arredores de Koenji, mas até mesmo em Shinjuku e Ginza, chegando por vezes a dormir fora de casa. Nos bares, para não seguir mais os ditos "costumes", eu bancava o canalha, beijando mulheres indiscriminadamente. Em resumo, assim como na época do duplo suicídio — não, ainda mais do que naquele tempo —, eu havia degenerado e me tornado um ébrio indecente, a ponto de, passando por dificuldades financeiras, roubar as roupas de Shizuko para empenhá-las.

Um ano se passou desde que eu chegara aqui, e sorria para o papagaio de papel rasgado. Quando as cerejeiras já estavam perdendo suas pétalas e adquirindo suas folhas novas, peguei alguns trajes de vestir por baixo do quimono e algumas faixas de Shizuko, e as levei à casa de penhores. Com o dinheiro ganho, passei duas noites fora de casa, bebendo em Ginza. Na noite do terceiro dia, sentindo-me mal, voltei para o apartamento, procurando abafar, sem que me desse conta, o som de meus passos. Em frente à porta, pude ouvir Shizuko e Shigeko conversando.

— Por que o papai bebe?

— O papai não bebe porque ele gosta de beber. É que, como ele é uma pessoa muito boa, ele...

— As pessoas boas bebem?

— Nem sempre, mas...

— Acho que o papai vai ter uma surpresa!

— Não sei se ele vai gostar. Olhe só! Ele saltou para fora da caixa!

— Parece *O coelho impaciente*, não é?
— Parece mesmo — ouvi Shizuko rir baixinho, parecendo verdadeiramente feliz.

Abri uma pequena fresta da porta e espiei dentro. Um coelho branco. Ele pulava para lá e para cá dentro da sala enquanto mãe e filha o perseguiam.

(Elas são pessoas felizes. Se um idiota como eu ficar entre essas duas, logo vai acabar com elas. Uma felicidade modesta. Boa mãe, boa filha. Ah! Se Deus puder ouvir as preces de alguém como eu, peço, nem que seja uma única vez na vida, a felicidade!)

Senti vontade de me ajoelhar e rezar ali. Fechei a porta com cuidado, me dirigi a Ginza mais uma vez, e nunca mais retornei àquele apartamento.

Pouco tempo depois, já estava novamente vivendo como gigolô, largado, agora no segundo andar de um bar perto de Kyobashi.

Sociedade. Sentia que talvez estivesse começando a entender o significado dessa palavra. É a luta entre um indivíduo e outro. Além disso, é a luta aqui e agora, a vitória naquele momento: só isso importa. *Seres humanos jamais se submetem a outros seres humanos.* Mesmo os escravos praticam suas vinganças vis. O ser humano pensa apenas em cada batalha, sem se preocupar em encontrar meios para viver mais. Fala-se em razão e justiça, quando a meta real de todo esforço é o indivíduo. E quando o indivíduo é superado, há outro indivíduo à sua frente. A dificuldade de compreender a sociedade é a dificuldade de compreender o indivíduo. Percebendo que o mar eram os indivíduos, não a sociedade, me libertei em parte do terror que sentia desse mar fantasmagórico chamado mundo. Sem a solicitude infinita de outrora, passei a responder de acordo com a situação, e aprendi a agir com considerável atrevimento.

Deixando para trás o apartamento de Koenji, cheguei para a madame do bar de Kyobashi e disse:

— Terminei com ela.

Foi o suficiente. Eu havia definido meu rumo naquela batalha e, a partir daquela noite, alojei-me sem nenhuma cerimônia naquele quarto do segundo andar. A temerosa "sociedade", contudo, não me infligiu o menor dano, e eu também não me justifiquei para ela. Uma vez que a madame estivesse inclinada a agir assim, estava tudo bem.

No bar, eu era tratado como cliente e patrão, como garoto de recados e membro da família: minha presença era um enigma para quem olhasse de fora, entretanto, a "sociedade" não achava aquilo nem um pouco estranho. Os clientes rotineiros do bar me chamavam de Yo-chan, tratavam-me muito bem e pagavam-me bebidas.

Fui aos poucos baixando minha guarda em relação ao mundo. Passei até mesmo a achar que ele não era algo assim tão ameaçador. Meu medo, até aquele momento, era como o de quem teme que na brisa primaveril há milhões de bactérias causadoras da coqueluche; que nos banhos públicos, há centenas de milhares de germes que atacam os olhos; que milhões de micróbios infestam barbearias e deixam calvos os fregueses; que as correias nas quais nos seguramos nos trens são infestadas de parasitas; que larvas de solitárias ou os ovos de toda a sorte de vermes, sem dúvida, escondem-se no sashimi e na carne de porco; que quando caminhamos descalços, um minúsculo caco de vidro pode entrar pela sola do pé e percorrer o corpo até perfurar o olho e levar a pessoa à cegueira. Isto é, como quem teme as ditas "superstições científicas". De fato, a existência de milhões de bactérias nadando no ar à nossa volta está cientificamente comprovada. Mas o que eu compreendi foi que, ao mesmo tempo, se você ignora por completo a existência desses seres, eles perdem toda e qualquer relação com você e passam a ser nada mais do que "fantasmas da ciência". Se 10 milhões de pessoas deixam sobrar três grãos de arroz em suas refeições, quantos sacos de arroz são desperdiçados por dia? Ou ainda: se 10 milhões de pessoas economizassem uma folha de lenço de papel por dia, quantas árvores não seriam salvas? Eu era assombrado por essas "estatísticas científicas", e sempre que deixava um grão de arroz no prato ou usava um lenço de papel, sentia como se fosse o rei do desperdício, como se eu tivesse cometido algum crime hediondo. Mas essas são apenas "mentiras da ciência", as "mentiras da estatística" e as "mentiras da matemática", pois não há como recolher três grãos de arroz de todas as pessoas. Mesmo como exercício de multiplicação e divisão, esse seria dos mais elementares, um tema primariamente simples, tão idiota como calcular a probabilidade de alguém escorregar no banheiro escuro e cair na privada; ou a quantidade de pessoas que prendem seus pés no vão entre a plataforma e o trem. Ainda que seja possível, nunca soube de um único caso de alguém que tenha se ferido ao falhar na tentativa de sentar-se no vaso sanitário. Sentia dó de mim mesmo por, até aquele momento, ter acreditado com temor nas tais hipóteses "científicas" como circunstâncias verossímeis, e chegava mesmo a ter vontade de rir agora que, pouco a pouco, descobria a verdadeira face do mundo.

Mesmo assim, os seres humanos continuavam sendo assustadores para mim, de modo que, até para me encontrar com algum cliente do bar, precisava beber um copo de bebida alcoólica. O desejo de ver coisas assustadoras: era isso o que me compelia a ir todas as noites ao bar, como uma criança que abraça com mais força os bichos de estimação dos quais tem um pouco de medo. Bêbado, eu chegava a vomitar sobre os clientes minhas medíocres teorias sobre arte.

Um desenhista de mangás. Ah! Mas eu não passava de um desenhista desconhecido, sem grandes alegrias e sem grandes tristezas. Eu desejava impacientemente, e de coração, uma alegria violenta, mesmo que depois dela viesse uma enorme tristeza. Contudo, minha única alegria naquele momento era ter conversas superficiais com os clientes e beber suas bebidas.

Estava para completar um ano nessa vida inútil em Kyobashi. Meus mangás não eram mais restritos às revistas infantis: passaram a ser impressos nos periódicos baratos e pornográficos vendidos nas estações de trem. Sob o irreverente pseudônimo de Ikuta Joshi (querendo dizer Joji Ikita, "sobrevivente do duplo suicídio"), passara a vender desenhos imorais, aos quais eu geralmente adicionava versos retirados de Rubaiyat.

Não desperdices teu tempo na busca vã
Desta e daquela tentativa e disputa;

Melhor alegrar-te com a fecunda uva
Do que entristecer-te com nenhuma ou amarga fruta.
Algumas das glórias deste mundo e alguns suspiros.
Para o profeta do paraíso do porvir.
Ah! Toma o dinheiro e esqueça o crédito,
Esqueça também o ribombar de tambores distantes!
A este vaso invertido a que chamamos céu,
Sob o qual vivemos e morremos enjaulados,
Não ergas tuas mãos pedindo por ajuda — pois ele
Gira tão impotente quanto eu ou tu.

Nessa época, entretanto, havia uma moça que me sugeriu parar de beber.

— Você não devia ficar bebendo o dia todo desse jeito.

Era uma menina de 17, 18 anos, que trabalhava na tenda de cigarros logo em frente ao bar. Chamava-se Yoshiko, tinha a pele clara e os dentes tortos. Cada vez que eu ia comprar cigarros, ela sorria e repetia sua advertência.

— O que há de errado? Onde está o mal nisso? "Bebe todo o álcool que houver, filho do homem, desfaz todo, todo, todo o ódio", dizia aquele persa... Bem, deixe isso para lá. "Para que um coração assolado pela tristeza se complete com esperança renovada, basta um cálice cheio e uma embriaguez leve." Você entende?

— Não.

— Sua burra. Vou lhe dar um beijo.

— Dê.

Sem o menor pudor, ela fazia um biquinho.

— Sua estúpida. E seu senso de castidade...

A expressão de Yoshi-chan, entretanto, era a de uma moça que ainda não havia sido maculada por ninguém.

Logo após o Ano-Novo, saí para comprar cigarros e, por estar bêbado, caí no bueiro em frente à tenda de cigarros. Pedi socorro a Yoshi-chan, que me ergueu e cuidou da ferida no meu braço direito. Nessa hora, ela disse com severidade:

— Pare de beber tanto.

A ideia de morrer não me incomodava, mas tinha horror da possibilidade de me ferir, perder sangue, tornar-me um aleijado ou coisas do gênero. Enquanto Yoshi-chan cuidava dos ferimentos em meu braço direito, pensei que era hora de largar a bebida.

— Vou parar. A partir de amanhã, não bebo mais uma gota sequer.

— É verdade?

— Verdade. Se eu parar de beber, você casa comigo? — o pedido de casamento era só uma piada.

— *Mochi*!

Mochi era a abreviatura de *mochiron*[12]. Naquela época, as abreviaturas, como *mobo* e *moga*[13], eram muito populares.

— Ótimo. Vamos fazer um pacto. Paro com certeza.

Passei o dia seguinte enchendo a cara, naturalmente.

Ao entardecer, saí trôpego e fui até a tenda de Yoshi-chan.

---

12. Em japonês, "claro", "com certeza", "obviamente". [N.E.]
13. Abreviaturas em japonês para *modern boy* e *modern girl*, respectivamente. Adotando trajes, penteados e estilos de vida ocidentalizados, eles eram símbolos da cultura jovem no Japão, desde a década de 1920 até a Segunda Guerra Mundial. [N.E.]

— Yoshi-chan, desculpe. Acabei bebendo...

— Você é mesmo terrível. Fica aí fingindo estar bêbado.

Levei um susto que fez com que a bebedeira passasse na hora.

— Mas é verdade, eu realmente bebi. Não estou fingindo.

— Não deboche de mim. Você é mau — ela não desconfiava nem um pouco do que eu dizia.

— Basta olhar para mim para ver que andei bebendo o dia todo. Perdoe-me.

— Você é um ótimo ator.

— Não estou encenando, sua idiota. Olhe que vou lhe dar um beijo.

— Dê.

— Não, não estou qualificado. Também vou ter que desistir da ideia de casar com você. Olhe para o meu rosto. Está vermelho, não? É porque eu bebi.

— Isso é reflexo do pôr do sol. Não tente me enganar. Você prometeu ontem que não iria mais beber! É claro que você não pode ter bebido. Fizemos um pacto. Você não bebeu, é mentira, mentira, mentira!

O rosto pálido de Yoshiko sorrindo dentro da tenda mal iluminada... Ah! A virgindade imaculada é algo precioso. Eu nunca dormi com uma moça virgem, mais jovem que eu. Vou casar com ela. Não importa o tamanho do sofrimento que vier a seguir, quero uma grande alegria selvagem, ao menos uma vez na vida. Sempre imaginei que a beleza da virgindade não passava de mera ilusão sentimental de poetas idiotas, mas ela realmente existe neste mundo! Vamos nos casar e, na primavera, iremos juntos de bicicleta até uma cascata cheia de folhas verdes. Naquela hora, naquele instante, eu me decidi: era uma "batalha decisiva" e eu não hesitei em roubar aquela flor.

Após algum tempo nos casamos. A alegria proveniente dessa união não foi nem grande nem selvagem, mas a tristeza que se seguiu foi enorme, completamente inimaginável. O "mundo" continuava a ser um lugar pavoroso e desconhecido para mim. Definitivamente, não era um lugar simples e compreensível onde tudo se resolvia em uma batalha decisiva.

Parte dois

Eu e Horiki.

Andávamos juntos, sempre escarnecendo um do outro e fazendo pouco caso de nós mesmos. Se isso é o que se pode chamar de "amizade" neste mundo, então de fato éramos amigos.

Contando com o cavalheirismo da madame do bar de Kyobashi (pode ser estranho usar uma palavra como "cavalheirismo" para uma mulher, mas, conforme minha experiência, pelo menos na metrópole as mulheres possuem muito mais cavalheirismo do que os homens. Os homens, em sua maioria, são grandes covardes que só se importam com a aparência, além de serem uns sovinas), casei-me informalmente com a menina da tabacaria, Yoshiko, e aluguei um quarto num pequeno apartamento em Tsukiji, perto do rio Sumida, onde passamos a viver juntos. Parei de beber e gastava todas as minhas energias na tarefa de desenhar, que vinha se tornando minha verdadeira profissão. Após o jantar, saíamos para assistir a algum filme, e na volta para casa passávamos em algum café ou comprávamos algum vaso de flores. No entanto, o que mais me alegrava era mesmo ouvir as palavras ou observar os movimentos de minha pequena noiva, que confiava em mim do fundo do seu coração. Parecia, assim, que, aos poucos, talvez eu pudesse tornar-me um ser humano, que iria sobreviver sem a necessidade de uma morte horrível. Justamente no momento em que esses pensamentos ingênuos começavam a aquecer meu peito, Horiki surgiu na minha frente.

— Olá, seu tarado! Mas hein? Você está até parecendo um sujeito razoável! Hoje vim como mensageiro da senhora de Koenji.

Falando isso, baixou a voz de repente e apontou com o queixo para Yoshiko, que preparava o chá na cozinha, perguntando se podia continuar.

— Não me importo. Pode dizer o que quiser — respondi calmamente.

De fato, Yoshiko tinha o que se poderia chamar de dom para confiar em pessoas. Ela não suspeitava de minhas relações com a madame do bar de Kyobashi e, mesmo tendo contado a ela sobre o incidente ocorrido em Kamakura, ela seguia sem desconfiar de Tsuneko. Não por eu ser um mentiroso competente: certas vezes, eu lhe falava diretamente, mas ela ouvia tudo o que eu dizia como se fossem piadas.

— Como sempre, você parece estar seguro de si. Não é nada importante mesmo. Ela me pediu que o avisasse para visitar os lados de Koenji de vez em quando.

Quando finalmente começo a esquecer, vem essa ave sinistra a rasgar a ferida da memória com o bico. De súbito, as lembranças de vergonhas e crimes do passado se descortinaram vividamente diante dos meus olhos, fazendo com que eu desejasse gritar de pavor e não conseguisse mais permanecer parado.

— Vamos beber? — perguntei.
— Vamos! — respondeu Horiki.
Eu e Horiki. Na aparência, nos parecíamos muito. Às vezes, eu pensava que éramos seres humanos realmente idênticos. É claro que isso só acontecia quando abusávamos de bebidas baratas por aí, mas, quando ficávamos lado a lado, era como se imediatamente nos transformássemos em cães de porte e pelo idênticos, a correr pelas ruas cobertas de neve.

Daquele dia em diante, como se tivéssemos reaquecido nossa antiga amizade, começamos a ir juntos àquele pequeno bar de Kyobashi e, por fim, chegamos até mesmo a aparecer no apartamento de Shizuko, em Koenji, como dois cães embriagados, para passar a noite e voltar para casa no dia seguinte.

Não há como esquecer. Era uma abafada noite de verão. Perto do fim da tarde, Horiki, vestindo um *yukata* surrado, apareceu no meu apartamento, em Tsukiji. Disse que havia penhorado suas roupas de verão, porém, temendo ser descoberto por sua velha mãe e criar uma situação delicada, queria resgatar logo as roupas. Por isso precisava de dinheiro. Infelizmente, eu não tinha um tostão comigo, então, como sempre, mandei Yoshiko até a loja de penhores para conseguir dinheiro com algumas de suas próprias roupas. Emprestei a Horiki o suficiente do que Yoshiko recebera, porém, como ainda sobrou um pouco, pedi a ela que comprasse *shochu*[14]. Subimos, eu e Horiki, até o

---

14. Destilado alcoólico japonês, que pode ser feito de arroz, batata-doce ou trigo. [N.T.]

telhado do apartamento, onde o vento vindo do mal cheiroso rio Sumida soprava debilmente, e celebramos a suja aragem de verão com um pequeno banquete.

Começamos uma brincadeira de adivinhação de substantivos cômicos ou trágicos. Era um jogo que eu havia inventado: todos os substantivos se classificam como masculinos, femininos e neutros, entretanto, devem poder ser qualificados também como substantivos cômicos e trágicos. Por exemplo, tanto os barcos a vapor quanto trens a vapor são trágicos, enquanto bondes e ônibus são cômicos. Quem não compreender isso não é alguém com quem se possa discutir arte. Se um dramaturgo inserir um único substantivo cômico numa peça trágica será um fracassado, assim como aquele que utilizar substantivos trágicos em comédias.

— Está preparado? Cigarro — perguntei.

— *Tra* (abreviação de tragédia) — Horiki respondeu prontamente.

— Remédios?

— Em pó ou comprimidos?

— Injeção.

— *Tra.*

— Será mesmo? Existem as injeções de hormônios.

— Não mesmo. *Tra*, de longe. Em primeiro lugar, tem uma agulha — é ou não é uma beleza de *tra*?

— Certo, vou reconhecer a derrota. Se bem que, veja só, remédios e médicos, ao contrário do esperado, são *come*, viu? A morte?

— *Come.* Assim como os pastores e monges.

— Muito bem. Assim sendo, a vida é *tra*, certo?

— Errado. Também é *come*.

— Mas, se for assim, tudo acaba se tornando *come*. Ainda tenho mais uma pergunta. Os desenhistas de mangá? Você não vai me dizer que são *come*, não é mesmo?

—*Tra, tra*; substantivo supertrágico!

— Que nada, você que é uma grande tragédia.

O jogo acabava com esse tipo de gozação sem graça, mas tínhamos muito orgulho dele, como uma diversão inteligente que não existia nem mesmo nos círculos mais refinados do mundo.

Eu havia criado outro jogo bem semelhante nessa mesma época, que consistia em adivinhar antônimos. O *anto* (antônimo) de preto é branco, porém o *anto* de branco é vermelho. O *anto* de vermelho é preto.

— Qual é o *anto* de flor? — perguntei, ao que Horiki torceu a boca e refletiu.

— Hum, havia um restaurante chamado Flor da Lua, logo, deve ser lua.

— Não, isso não é *anto*. Parece mais um sinônimo. Estrelas e violetas são sinônimos, certo? Isso não é *anto*.

— Entendi. Então é abelha.

— Abelha?

— Não dizem que há "abelhas nas peônias"? Ou serão formigas?

— Que é isso? Um título de pintura? Não tente me enganar!

— Já sei! As nuvens se aglomeram sobre a flor...

— É "as nuvens se aglomeram sobre a lua"!

— Pode ser. "Flores e vento." É isso, vento. O *anto* de flor é vento.

— Soa brega, como um verso de canção popular. Assim você acaba traindo suas origens.
— Que tal um *biwa* [15]?
— Continua ruim. O *anto* de flor é... você deve pensar na coisa menos parecida com uma flor no mundo inteiro.
— Por isso, é que... Espere aí: é mulher!
— Aproveitando: qual seria o sinônimo de mulher?
— Vísceras.
— Você realmente não serve para a poesia, não é? Qual é o *anto* de vísceras?
— Leite.
— Agora melhorou! Mais uma, nesse ritmo: vergonha. Qual é o *anto* correto?
— Um sem-vergonha. O famoso cartunista Joji Ikita.
— E qual o *anto* de Masao Horiki?

Nesse ponto, já não podíamos mais rir e começávamos a sentir a melancolia característica da embriaguez com *shochu*, como se nossas cabeças estivessem repletas de cacos de vidro.

— Não seja atrevido. Eu, pelo menos, nunca passei pela vergonha de ser amarrado como um criminoso.

Aquilo me pegou de surpresa. No fundo do coração de Horiki, eu não chegava a ser um ser humano completo: para ele, eu era alguém que não conseguiu sequer morrer, um sem-vergonha, um fantasma imbecil, o que vulgarmente se chama de "cadáver ambulante", e a "amizade" dele não tinha outro propósito a não ser aproveitar-se de

---

15. Alaúde japonês de quatro cordas, frequentemente utilizado para acompanhar as canções populares do período Edo. [N.E.]

mim o máximo possível. É óbvio que não me sentia confortável pensando isso, contudo, era natural que Horiki me visse dessa forma. Desde criança, nunca tive os requisitos necessários de um ser humano qualificado. Ser menosprezado até mesmo por esse homem talvez fosse algo justo, pensei.

— Crime. O antônimo de crime, qual é? Essa é difícil — perguntei, revestindo minha expressão com a indiferença.

— A lei, ora — respondeu Horiki com tranquilidade, de modo que olhei mais uma vez para o seu rosto. Banhado pela luz vermelha da iluminação de um crepitante painel de neon, seu rosto mostrava uma dignidade semelhante ao rosto daquele temível detetive. Senti-me abalado até a essência.

— Acho que não é bem isso, o crime.

Imagine uma coisa dessas: o antônimo de crime ser a lei! Todavia, talvez todas as pessoas vejam isso de forma tão simples e levem a vida despreocupadas. Devem pensar que o crime existe justamente onde não há polícia.

— Bem, nesse caso, o que seria? Deus? Algumas vezes, você cheira a padreco cristão. É degradante.

— Não simplifique tudo assim. Vamos pensar mais um pouco. Esse é ou não é um tema interessante? Tenho a impressão de que se pode compreender tudo a respeito de uma pessoa por meio da resposta a essa questão.

— Duvido disso. O *anto* de crime é o bem. O cidadão de bem. Em resumo, alguém como eu.

— Deixe de piadas. O bem é *anto* de mal. Não de crime.

— Mal e crime são diferentes?

— Acredito que sim. A concepção de bem e mal é invenção humana. Palavras moralizantes inventadas pelo capricho dos homens.

— Que irritante. Logo, só pode ser Deus. Deus, Deus. Não há engano quando se deixa tudo nas mãos Dele. Estou com fome.

— Yoshiko está preparando favas lá embaixo.

— Que ótimo. Adoro favas.

Ele deitou-se com as mãos atrás da cabeça e ficou olhando para cima.

— Parece que você não tem muito interesse pelo crime, não?

— Mas isso é evidente: não sou um criminoso como você. Ainda que eu viva na libertinagem, não faço mulheres se matarem, tampouco roubo dinheiro delas.

"Mas eu não levei ninguém à morte, nem roubei dinheiro nenhum!", dizia em algum lugar dentro de mim uma frágil voz de resistência. Entretanto, eu tinha esse hábito de logo mudar de ideia e achar que a culpa era mesmo minha.

Para mim, é praticamente impossível contrariar alguém face a face. Lutando com todas as minhas forças por conter os impulsos que ficavam mais e mais perigosos a cada instante devido ao *shochu*, eu disse quase que murmurando para mim mesmo:

— Porém, não é só o fato de ir para a cadeia que define um crime. Acho que se soubesse o antônimo de crime, sua verdadeira forma passaria a ser palpável, mas... Deus... salvação... amor... luz... O antônimo de Deus é diabo, o de salvação é perdição, o de amor é ódio, o de luz é escuridão, o de bem é mal. Crime e prece, crime e arrependimento, crime e confissão... Ah! São todos sinônimos! Qual é o antônimo de crime?

— O *anto* de crime deve ser creme. Algo doce como um creme. Ah, que fome! Traga logo algo para comermos!

— Por que não vai buscar você mesmo? — posso dizer que, pela primeira vez em minha vida, falei com uma raiva intensa.

— Certo. Vou lá embaixo, então. Vou lá cometer um crime com Yoshiko e já volto. Demonstração prática é melhor do que discussão. O *anto* de crime é creme. Não! É feijão! — ele estava tão bêbado que não conseguia mais pronunciar direito as palavras.

— Faça o que quiser. Suma logo daqui!

— Crime e barriga vazia, barriga vazia e favas... Ah, não. Isso é sinônimo — ele levantou-se dizendo bobagens como essas.

Crime e castigo. Dostoiévski. Num relance, essas palavras passaram por um recanto escondido de meus pensamentos, espantando-me. Suponhamos que Dostoiévski tenha colocado essas duas palavras lado a lado não como sinônimos, mas como antônimos? Crime e castigo: noções tão irreconciliáveis quanto água e óleo. Sentia como se estivesse começando a compreender o que jazia no fundo do lago pútrido, repleto de algas, musgo e sujeira que era a mente de Dostoiévski. Ou talvez não... Enquanto essas e outras ideias galopavam pela minha mente, Horiki veio me chamar:

— Hei! Venha aqui ver as favas! — o semblante e a voz de Horiki haviam mudado. Ele acabara de levantar-se e descer, mas já estava de volta.

— O que é?

Em um frenesi estranho, descemos para o segundo andar e, quando estávamos na escada que ia até meu apartamento um andar abaixo, Horiki estacou e disse em voz baixa, apontando para dentro:

— Veja!

Uma pequena janela superior estava aberta, permitindo ver o interior do quarto. A luz estava acesa e lá dentro duas figuras animalescas podiam ser vistas.

A vertigem nublou minha visão, mas, junto de minha respiração ofegante, eu murmurava para mim mesmo: "Este também é um aspecto da vida humana, também é um aspecto da vida humana, não há porque ficar surpreso." Permaneci petrificado na escada, sem ao menos pensar em ajudar Yoshiko.

Horiki limpou a garganta com estardalhaço. Eu fugi correndo para o telhado e me atirei ao chão. Os sentimentos que me assaltavam naquele momento, olhando o carregado céu noturno de verão, não eram raiva, ódio ou tristeza, mas sim um imenso medo. Não como o medo que se tem de fantasmas em um cemitério. Era um temor mais poderoso e primitivo que não pode ser expresso por quatro ou cinco palavras; algo como a sensação de encontrar uma estátua sagrada, vestida de branco, no bosque de cedros de um santuário xintoísta. Foi nessa noite que meus cabelos começaram a ficar prematuramente brancos. Eu perdi toda a confiança em mim mesmo, passei a desconfiar profundamente de todos e abandonei todas as esperanças por qualquer coisa deste mundo: a alegria, a compreensão, tudo se tornara eternamente distante. Na realidade, esse foi o incidente decisivo em minha vida. Sentia-me como se minha fronte tivesse sido rachada ao meio, por entre as sobrancelhas e, a partir dali, essa ferida arderia toda vez que eu me aproximasse de um ser humano.

— Eu me compadeço de você, ainda que eu ache que você aprendeu uma lição. Não voltarei mais aqui. É um verdadeiro inferno... Mas penso que você devia perdoar Yoshiko. Afinal de contas, você também não é um sujeito muito decente. Estou indo — Horiki não era tolo a ponto de permanecer em uma situação tão embaraçosa quanto aquela.

Levantei-me do chão e fiquei bebendo *shochu* sozinho. Eu chorava alto. Poderia ter ficado ali, chorando para sempre.

Sem que eu percebesse, Yoshiko chegara atrás de mim, com o olhar vago e segurando uma bandeja com uma montanha de favas.

— Ele me disse que não iria fazer nada...

— Tudo bem. Não diga nada. Você é incapaz de duvidar das pessoas. Sente-se. Vamos comer as favas.

Sentamo-nos lado a lado e comemos as favas. Ah! Será a confiança um pecado? O sujeito era um vendedor analfabeto, um nanico insignificante de mais ou menos 30 anos, que me pedia desenhos e fazia muito alarde por causa das ínfimas somas de dinheiro que pagava por eles.

Esse comerciante, como seria de esperar, não retornou depois disso. Eu não o detestava. Tinha mais ódio de Horiki, que, em vez de limpar a garganta de uma vez assim que viu a cena, não fizera nada e fora me chamar para vê-la também. Era esse o ódio que me fazia revirar e gemer nas noites em que não conseguia dormir.

Não havia como perdoar ou não perdoar Yoshiko. Ela tinha um dom para confiar nas pessoas. Desconhecia o que era desconfiar de alguém. Contudo, por isso mesmo, a tragédia acontecera.

Pergunto a Deus: a confiança é um pecado?

O que me causava um sofrimento persistente, a ponto de tornar minha vida insuportável, não era o fato de Yoshiko ter sido maculada, mas sim da sua confiança ter sido traída. Para alguém como eu, extremamente temeroso, sempre tentando ler as expressões nos rostos das pessoas, alguém cuja capacidade de confiar nos seres humanos é tão frágil e trincada, a confiança imaculada de Yoshiko parecia algo puro, cristalino como uma cascata cercada de folhas verdes. Em apenas uma noite, a água dessa cascata se tornara amarelada e suja. Dali em diante, Yoshiko passou a observar cuidadosamente cada reação minha.

Ela se assustava cada vez que eu a chamava e parecia não saber direito para onde olhar. Por mais que eu me esforçasse em diverti-la, dizendo bobagens, ela permanecia tensa e trêmula. Começou a tratar-me com exagerado respeito.

Afinal de contas, a confiança imaculada é uma fonte de pecados?

Li vários romances, procurando por histórias de mulheres casadas que tivessem sido violentadas. Por fim, percebi que nenhuma havia sido violada de maneira tão miserável como Yoshiko fora. Sua história não servia sequer para um romance. Se ao menos houvesse algum amor entre Yoshiko e aquele comerciante nanico, eu talvez me sentisse aliviado. Todavia, o fato era que, em uma noite de verão, Yoshiko confiou nele, nada mais. E esse incidente fez com que eu rachasse ao meio, deixou minha voz rouca, fez com que cabelos brancos despontassem de forma prematura, e com que Yoshiko passasse o resto da vida temerosa. Em grande parte dos romances que li, o ponto crucial era se o marido perdoaria ou não os "atos" da esposa. Parecia-me, entretanto, que esse não era um problema tão grave assim. Perdoar ou não perdoar: um marido que possui esse direito é um homem feliz. Se ele acredita que não pode perdoar sua esposa, em vez de fazer balbúrdia, basta separar-se logo dela e arranjar outra mulher. Se ele é incapaz disso, então precisa perdoá-la e suportar. Tinha até mesmo a impressão de que, em ambos os casos, tudo se resolvia de acordo com a direção que o marido escolhesse. Em outras palavras, um acidente desse tipo com certeza seria um grande choque para o marido. Todavia, trata-se de um "choque" único, algo diferente do bater constante das ondas contra as rochas. Sentia que era uma questão que se resolveria de um jeito ou de outro, dependendo da ira que o marido tinha por direito. Porém, em nosso caso, o marido não tinha direito nenhum e, ao repensar o assunto, sentia como se tudo tivesse sido culpa minha. Longe de ficar enraivecido, não conseguia pronunciar uma palavra sequer. Além do mais, minha esposa havia sido violentada graças àquela sua rara virtude — uma virtude admirada pelo marido, algo imensamente gracioso que poderia ser chamado de "confiança imaculada".

Será a "confiança imaculada" um pecado?

Agora que eu tinha dúvidas sobre a única virtude da qual eu dependia, eu já não entendia mais nada. A saída para tudo era o álcool. Meu rosto adquirira uma expressão desprezível, fui perdendo os dentes por beber *shochu* desde as primeiras horas do dia, e meus mangás haviam se tornado quase pornográficos. Não, vou ser sincero: nessa época, eu copiava ilustrações pornográficas e vendia como contrabando. Precisava de dinheiro para beber. Quando olhava para Yoshiko e via que ela desviava o olhar sem saber como agir, imaginava que, se ela era uma mulher totalmente sem cautela, aquela talvez não tivesse sido a única vez com aquele comerciante. Ou ainda: e Horiki? Talvez alguma outra pessoa? Dúvidas geravam dúvidas, mas eu não tinha a menor coragem para perguntar-lhe direta e claramente. Com meus conhecidos anseios e medos girando em minha cabeça, eu apenas seguia bebendo e, bêbado, tentava interrogá-la com indiretas e de modo covarde. Meu coração saltava entre a alegria e a tristeza, enquanto na superfície eu fazia piadas sem parar. Depois disso, eu submetia Yoshiko a terríveis carícias infernais, e adormecia profundamente, como se afundasse na lama.

No final daquele ano, cheguei em casa tarde numa certa noite, completamente embriagado, e pensei em tomar um copo de água com açúcar. Como Yoshiko parecia adormecida, fui até a cozinha. Quando encontrei o pote de açúcar, abri a tampa e vi que ele estava vazio, havia apenas uma caixinha preta de papel, longa e estreita. Peguei-a desinteressado, mas, ao ler o rótulo da caixa, fiquei atônito. O rótulo estava quase totalmente raspado à unha, mas ainda podia-se ler os caracteres ocidentais: DIAL.

Dial. Nessa época eu contava apenas com a bebida e nunca tomava soníferos. A insônia, entretanto, era um mal constante para mim, por isso conhecia quase todos eles. O conteúdo daquela caixa de Dial era mais que suficiente para levar alguém à morte. O lacre da caixa ainda estava intacto. Tempos atrás, num impulso, ela devia tê-la escondido ali, após raspar o rótulo. Pobre menina, ela não sabia ler caracteres ocidentais, logo pensou que bastava raspar metade do rótulo com as unhas. (Você não tem culpa.)

Procurando não fazer o menor ruído, enchi um copo com água e rompi devagar o lacre da caixa. Enfiei todo o conteúdo na boca, bebi a água calmamente, apaguei a luz e fui dormir.

Por três dias e três noites, permaneci como se estivesse morto. O médico considerou aquilo como um acidente e adiou o relatório à polícia. Disseram que a primeira coisa que balbuciei ao despertar foi "vou voltar para casa". Nem eu mesmo sei onde seria a tal casa, mas dizem que teriam sido essas minhas palavras e que me pus a chorar sem parar.

Aos poucos, a neblina foi se desfazendo e, quando recuperei a consciência, percebi que Linguado estava sentado à cabeceira de minha cama, com uma expressão de profundo desgosto.

— A última vez também foi no final do ano, não é mesmo? Justo no fim de ano, quando estamos tão atarefados.

Desse jeito, ainda vai acabar comigo — era com a madame do bar de Kyobashi que Linguado falava.

— Madame — chamei-a.

— Sim? Você está acordado? — disse a madame, aproximando o rosto sorridente do meu.

Chorando convulsivamente, eu disse:

— Leve-me para longe de Yoshiko — as palavras soaram estranhas até mesmo para mim.

A madame ergueu-se e soltou um leve suspiro.

Foi então que deixei escapar aquelas palavras, palavras indescritivelmente impensadas, cômicas, idiotas:

— Vou partir para um lugar onde não existam mulheres.

Linguado gargalhou com gosto, enquanto a madame ria baixinho. Até eu, ainda chorando, fiquei com as faces vermelhas e dei um sorriso sem graça.

— Sim, acho que é uma boa ideia — disse Linguado, rindo de maneira negligente. — É melhor que você parta para algum lugar onde não existam mulheres. Se houver mulheres por perto, você sai da linha. Um lugar sem mulheres é uma ótima ideia.

Um lugar sem mulheres. O pior de tudo foi que esses meus disparates imbecis acabaram por se realizar, mais tarde, da maneira mais infeliz.

Yoshiko parecia acreditar que eu bebera o veneno em seu lugar, e isso fez com que ela ficasse ainda mais temerosa em relação a mim. Nada que eu dissesse a fazia sorrir, e raras vezes ela abria a boca para dizer algo. O clima do apartamento era tão opressivo que eu voltei a sair para tomar bebidas baratas, como sempre fizera. Contudo, depois do incidente com o Dial, eu ficara muito magro, meus braços e pernas estavam flácidos e eu não tinha energia para desenhar. Linguado havia me deixado um pouco de dinheiro quando viera me visitar (ele dissera que aquilo era "um pequeno presente meu para você", como se a quantia viesse dele mesmo. Na verdade, aquele dinheiro tinha vindo de meus irmãos, em minha cidade natal. Diferentemente de quando eu fugira da casa de Linguado, dessa vez eu conseguia perceber, de forma ainda um pouco vaga, o ar de importância com que ele agia. Então, sendo falso também, fingi não saber o que estava acontecendo e ofereci meus mais humildes agradecimentos a ele pelo dinheiro. Entretanto, eu não tinha muita certeza se entendia por que é que pessoas como Linguado precisavam recorrer a truques tão complexos). Servindo-me daquele dinheiro viajei, num impulso, até as termas do sul de Izu. Todavia, não sou do tipo que consegue relaxar em viagens de lazer a fontes de águas termais e, cada vez que pensava em Yoshiko, sentia-me tão infinitamente infeliz que aquilo acabava me impedindo de desfrutar a paisagem montanhosa, visível do meu quarto. Eu não vestia o roupão oferecido pela estância de águas termais, não entrava nos banhos. Em vez disso, corria até casas de chá decadentes, e bebia *shochu* até quase perder os sentidos. Ao retornar a Tóquio, minhas condições físicas haviam piorado.

Cheguei em Tóquio numa noite de muita neve. Embriagado, percorria os bastidores de Ginza, cantarolando baixinho repetidas vezes: "Daqui até minha casa são milhares de quilômetros, daqui até minha casa são milhares de quilômetros."[16] Caminhava chutando a neve que, mesmo agora, caía incessante. Subitamente, tossi. Era a primeira vez que tossia sangue. Uma grande bandeira do Japão se formou na neve. Fiquei agachado ali por um tempo. Em seguida, apanhando um pouco de neve branca, limpei o rosto enquanto chorava.

"Onde esta senda levará?

Onde esta senda levará?"[17]

Eu ouvia indistintamente, a distância, como uma alucinação auditiva, uma pobre menininha cantando. Infelicidade. Há tanta gente infeliz neste mundo. Dizer que só há gente infeliz não seria exagero. Contudo, essas pessoas conseguem lutar contra o mundo com bravura, e o mundo compreende e se compadece dessa luta. Minha infelicidade, porém, provinha unicamente de meus pecados, logo eu não tinha meios para lutar contra quem quer que fosse. Sempre que tentasse levantar a voz na forma de protesto, não somente Linguado, mas a sociedade inteira, sem dúvida, diria em tom de espanto: "Vejam como ele tem coragem de dizer uma coisa dessas!" Seria eu a quem chamam de "egoísta"? Ou seria o oposto, um covarde? Eu também não tenho ideia, no entanto em ambos os casos eu não passava de um torrão de pecados, e me enterrava cada vez mais fundo em minha própria infelicidade, sem nenhum plano concreto para impedir essa queda.

---

16. Trecho de "Sen'yu", uma canção de guerra de 1905, de Hisen Mashimo (letra) e Kazuki Miyoshi (música), que mais tarde foi popularizada por cantores de enka. [N.E.]

17. Trecho de "Toryanse", uma canção infantil tradicional. [N.E.]

Levantei-me, pensei que por ora o melhor era procurar algum remédio e entrei em uma farmácia próxima. No instante em que cruzei o olhar com a proprietária, ela ergueu a cabeça e me fitou, estática, como se fosse banhada pela luz de um flash fotográfico. Seu olhar não tinha a cor do medo ou do ódio, antes parecia buscar alguma salvação, desejar algo. "Esta mulher também deve ser infeliz, pessoas infelizes são sensíveis às infelicidades alheias", pensei. Foi então que percebi que a proprietária se equilibrava perigosamente com a ajuda de muletas. Enquanto nos olhávamos e eu suprimia meu desejo de correr até junto dela, lágrimas escorriam de meus olhos. Da mesma forma, também os grandes olhos da mulher marejaram de imediato.

Aquilo foi tudo. Sem falar nada, deixei a farmácia e retornei cambaleante ao apartamento. Pedi para Yoshiko preparar água com sal, bebi e deitei-me em silêncio. Na manhã seguinte, menti que estava um pouco gripado e dormi o dia inteiro. À noite, voltei a me preocupar com o sangue que eu havia tossido em segredo, o que fez com que me levantasse e fosse novamente até aquela farmácia. Dessa vez, entre sorrisos, relatei todo o meu histórico de saúde à proprietária e pedi-lhe conselhos.

— Você precisa parar de beber — asseverou ela como se fôssemos parentes.

— Talvez tenha me tornado um alcoólatra. Agora mesmo tenho vontade de beber.

— Pois não deve. Meu marido também vivia bebendo, apesar da tuberculose. Ele dizia que ia matar as bactérias com o álcool, e acabou por reduzir sua própria vida.

— Fico muito ansioso. Tenho tanto medo que não consigo fazer nada.
— Vou lhe dar alguns remédios. Mas pare com a bebida.

A proprietária (viúva e mãe de um filho, estudante de medicina em Chiba ou algo assim, que herdara a mesma doença do pai e agora estava dispensado das aulas e internado. Morava com o sogro, paralítico, e ela mesma, devido à paralisia infantil, não movia uma das pernas desde os 5 anos), batendo as muletas contra o chão da loja, ia de um lado ao outro pegando das prateleiras e gavetas medicamentos para mim.

Este é para produzir sangue.

Esta é uma injeção de vitaminas. Aqui está a seringa.

Estas são pílulas de cálcio. Para proteger seus intestinos e estômago, Diastase.

"Isto é tal coisa", "isto é tal coisa", explicava ela carinhosamente sobre os cinco ou seis tipos de medicamentos que me apresentava. Contudo, o carinho dessa mulher infeliz era mais uma vez profundo demais para mim. Por fim, disse que havia um remédio para quando eu não pudesse mais conter meu desejo de beber, e embrulhou rapidamente a caixinha.

Era uma injeção de morfina.

Ela disse que aquilo era menos prejudicial do que a bebida, e eu acreditei nela. Além disso, precisamente naquele momento a embriaguez começara a me parecer imunda, e fiquei contente por, depois de tanto tempo, conseguir escapar das garras desse demônio chamado álcool. Sem hesitação nenhuma, injetei a morfina em meu braço. Meus anseios, meu medo e minha timidez sumiram completamente e eu me tornei um otimista de marca maior, um homem grande e eloquente. As injeções também me faziam esquecer quão debilitado estava meu corpo e permitiam que eu trabalhasse com afinco em meus mangás. Algumas vezes, chegava mesmo a explodir em gargalhadas enquanto desenhava, tão mirabolantes eram as minhas ideias.

Pretendia tomar uma injeção por dia, mas elas se tornaram duas, depois quatro, até que eu já não conseguia mais trabalhar sem a morfina.

— Não faça isso. Será terrível se você se tornar dependente.

Ao ouvir essas palavras da proprietária da farmácia, senti como se já tivesse desenvolvido uma profunda dependência (a verdade é que sou muito suscetível a sugestões alheias. Quando alguém me diz: "Você não deveria gastar este dinheiro, se bem que você vai usar de um jeito ou de outro mesmo...", sinto como se tivesse que gastá-lo, como se não pudesse contrariar as expectativas de quem me dissera aquilo, e acabo gastando o dinheiro o mais depressa possível). Meu receio de ter me tornado um viciado fazia com que eu buscasse mais e mais a droga.

— Eu lhe peço! Só mais uma caixa. Eu lhe pago, sem falta, no final do mês!

— O problema não é a conta, você pode pagar quando quiser. Mas a polícia cria muita confusão, você sabe.

Ah! A negra e turva marca da desconfiança do homem banido da sociedade está sempre à minha volta.

— Arranje um modo de enganá-los. Por favor! Eu lhe dou um beijo.

A mulher ficou com o rosto vermelho.

Insisti no assunto.

— Sem as injeções, não há a menor chance de eu conseguir trabalhar. Elas são como um tônico para mim.

— Se é assim, creio que uma injeção de hormônios pode servir, não?

— Não me faça de idiota. Para trabalhar preciso da bebida, ou então daquelas injeções.

— Você não pode mais beber.

— É isso mesmo. Desde que passei a usar aquelas injeções, nunca mais bebi uma gota de álcool. Graças a isso, meu corpo está em muito boas condições. Não tenho intenção de passar o resto de minha vida fazendo desenhos medíocres. Agora que parei de beber e minha saúde melhorou, vou estudar e me tornar um grande pintor, você vai ver. Este é um momento crítico. Por isso, eu lhe peço. Quer que eu lhe dê um beijo?

Ela deu uma risada e falou:

— Assim você me deixa sem jeito. Se você ficar dependente, não quero nem saber — cutucando o chão da farmácia com suas muletas, ela apanhou as injeções de uma das prateleiras e me disse: — Não vou lhe dar uma caixa, pois você vai acabar usando tudo de uma vez só. Vou lhe dar metade.

— Que mesquinha! Mas já que não tem outra saída...

Assim que cheguei em casa apliquei uma dose.

— Isso não dói? — perguntou-me Yoshiko timidamente.

— Dói, sim. Mas eu preciso fazer isso, mesmo doendo, para aumentar a minha produção no trabalho. Ultimamente tenho estado muito saudável, você notou? Bem, vamos lá! Ao trabalho, ao trabalho! — dizia com grande animação.

Cheguei a bater na porta da farmácia no meio da madrugada. Assim que a proprietária, vestida com seu robe de dormir, apareceu na entrada com suas muletas, eu a abracei e a beijei, fingindo estar chorando.

Sem dizer nada, ela me entregou uma caixa de injeções.

Quando cheguei à conclusão de que as drogas eram coisas tão miseráveis e imundas quanto o álcool — não, muito mais —, já havia me tornado um completo viciado. Havia ultrapassado o limite da falta de vergonha. Pensando apenas em adquirir as drogas, recomecei a fazer mangás pornográficos. Além disso, começara a ter o que literalmente se poderia chamar de uma relação feia com a aleijada da farmácia.

Quero morrer. Quero morrer mais do que tudo. Não há mais chance de recuperação. Não importa o que faça, não importa como faça, estou fadado a falhar e adicionar uma camada de verniz à minha vergonha. Não posso sonhar em ir de bicicleta até uma cascata cercada de folhas verdes. São apenas crimes sujos empilhando-se sobre crimes miseráveis e meu sofrimento só cresce e fica ainda mais violento. Quero morrer. Preciso morrer: viver é uma fonte de pecados. Pensava assim, tresloucado, mas continuava indo e vindo entre o meu apartamento e a farmácia.

Quanto mais trabalhava, mais morfina consumia. Por isso, a dívida na farmácia atingira um valor assustador. A proprietária chorava sempre que via meu rosto. Eu também chorava.

Inferno.

Como última tentativa para escapar do inferno em que vivia, escrevi uma longa carta para meu pai, confessando minha situação em detalhes (sobre as mulheres, porém, nada escrevi). Era uma resolução na qual eu apostava até mesmo a existência de Deus. Se aquilo desse errado, só me restaria amarrar uma corda no pescoço.

O resultado, entretanto, só fez piorar minha situação: esperei dias e noites, mas a resposta nunca veio, e meu medo e receio fizeram com que eu aumentasse ainda mais as doses da droga.

Certo dia, quando eu havia decidido injetar naquela noite dez doses de uma só vez e atirar-me no rio Ogawa, Linguado apareceu acompanhado de Horiki, como se tivesse farejado meu plano com sua intuição diabólica.

— Ouvi dizer que você andou tossindo sangue.

Horiki disse isso sentado à minha frente e sorrindo com uma gentileza que eu jamais havia visto nele. Fiquei tão grato, tão contente por seu sorriso afetuoso que desviei o rosto, chorando. Aquele seu único sorriso enternecedor me derrotou definitivamente e acabou de me enterrar.

Fui colocado dentro de um automóvel. "Você precisa ser internado, deixe todo o resto por nossa conta", dissera Linguado, num tom de voz tranquilo (que poderia mesmo ser adjetivado como misericordioso). Eu apenas continuei choramingando e obedecendo de modo submisso ao que os dois decidiam, como alguém desprovido de vontade e julgamento. Junto com Yoshiko, balançamos os quatro dentro do carro por um longo tempo, até que, perto do crepúsculo, descemos na entrada de um grande hospital em meio à floresta.

Só podia pensar que aquilo era um sanatório para tuberculosos.

Fui examinado por um jovem médico de uma maneira desagradavelmente respeitosa.

— Bem, você vai passar um tempo aqui, em recuperação — disse o médico, com um sorriso quase tímido. Quando Linguado, Horiki e Yoshiko estavam prestes a ir embora, deixando-me sozinho lá, Yoshiko me deu uma trouxa contendo uma muda de roupas e, em silêncio, retirou da faixa de seu quimono e entregou-me a seringa e o resto da morfina. Ela, sem dúvida nenhuma, continuava acreditando que aquilo era apenas um tônico.

— Não. Não preciso mais disso.

Foi um acontecimento realmente raro. Posso dizer, sem falsidade, que aquela foi a primeira vez em toda minha vida que recusei algo que me ofereceram. Minha infelicidade era a de um homem incapaz de recusar. Tinha medo de que, ao recusar algo que me fosse oferecido, uma fissura eterna e irreparável surgisse em meu coração, e no coração da outra pessoa. Naquela hora, porém, neguei com naturalidade a morfina que outrora buscara com desespero. Talvez tenha sido o choque da "ignorância divina" de Yoshiko? Imagino se não teria deixado de ser dependente naquele exato instante.

Entretanto, logo em seguida o médico do sorriso tímido me guiou até uma ala e trancou com estrondo a porta atrás de mim. Era um hospital para doentes mentais.

O disparate que eu dissera após ter tomado os comprimidos de Dial — sobre ir para um lugar onde não houvesse mulheres — havia se tornado realidade de uma maneira bizarra. Todos os loucos eram homens e os enfermeiros também: não havia uma única mulher ali.

Eu não era mais um criminoso, era um maluco. Não, eu decididamente não estava louco. Não havia enlouquecido nem por um momento. Entretanto, ah!, todos os loucos dizem a mesma coisa sobre si mesmos. Concluindo: pelo jeito, quem é colocado nesse hospital é louco, e quem não está ali é normal.

Pergunto a Deus: a não resistência é um pecado?

Eu chorara ao ver aquele estranho e belo sorriso de Horiki, entrara no automóvel sem oferecer resistência e sem fazer julgamento nenhum, havia sido levado até ali e agora era um louco. Ainda que pudesse sair dali, estaria para sempre marcado na testa como "maluco", ou melhor, como "inválido".

Desqualificado como ser humano.

Eu havia deixado de ser um ser humano por completo.

Cheguei ali no início do verão. Por meio das barras de ferro de minha janela, podia ver as flores de nenúfares vermelhos desabrochando no lago do hospital. Três meses depois, quando os cosmos começaram a florescer no jardim, meu irmão mais velho veio com Linguado, para minha surpresa, me tirar dali. Meu irmão, com sua voz habitualmente séria e grave, me informou que nosso pai havia morrido em consequência de uma úlcera gástrica no mês anterior.

— Nós não faremos perguntas sobre seu passado e providenciaremos para que você não tenha dificuldades com despesas cotidianas. Você não precisa fazer nada. Em troca, você deve sair de Tóquio imediatamente. Imagino que você esteja apegado a muitas coisas por lá, mas quero que venha para o interior cuidar de sua saúde. Shibuta já resolveu a maioria dos problemas que você causou em Tóquio. Não há com o que se preocupar.

Senti como se pudesse enxergar os rios e as montanhas de minha terra natal. Assenti sem convicção.

Eu era um verdadeiro inválido.

A notícia da morte de meu pai fez com que eu perdesse minhas últimas forças. Ele estava morto. Aquela presença saudosa e amedrontadora que não abandonara meu peito nem por um segundo sequer já não vivia mais. Sentia como se o recipiente onde se armazenava todo o meu sofrimento houvesse sido esvaziado. Cheguei mesmo a pensar que era por causa de meu pai que o receptáculo do meu sofrimento pesava daquela maneira. Eu perdi o interesse por tudo. Perdi até mesmo a capacidade de sofrer.

Meu irmão cumpriu sua promessa escrupulosamente. Ele comprou uma casa para mim numa fonte de águas termais próxima à costa, cerca de quatro ou cinco horas de trem ao sul da cidade onde nasci e me criei, um local inusitadamente quente para aquela parte do país. A casa fica na saída de um vilarejo e é grande, com cinco cômodos, mas velha e deteriorada além de qualquer conserto, com paredes descascadas e pilares roídos por insetos. Ele também contratou uma mulher horrenda, de quase 60 anos e cabelos avermelhados.

Pouco mais de três anos se passaram desde então. Nesse intervalo, fui violado várias vezes por essa criada velha chamada Tetsu. De vez em quando, brigamos como se fôssemos marido e mulher. A doença em meu peito vai e volta, meu corpo engorda e emagrece, às vezes escarro sangue. Ontem, mandei Tetsu ir comprar Calmotin, pílulas para dormir, na farmácia da vila. Ela retornou com uma caixa de formato diferente das caixas que eu conhecia, mas, sem me importar, tomei dez comprimidos antes de me deitar. Estava estranhando não adormecer, quando senti uma pontada no abdômen e corri para o banheiro, onde tive uma forte diarreia. Foram três idas consecutivas ao banheiro. Não suportando a dúvida, peguei a caixa de remédio e constatei que era Henomotin, um laxante.

Deitado de costas, com uma bolsa de água quente sobre o estômago, pensei em reclamar para Tetsu: "Isto não são pílulas para dormir. É laxante!" Estava prestes a dizer isso, mas acabei rindo. No final das contas, parece que "inválido" é um substantivo cômico. Eu havia tomado laxante para dormir, justo um com esse engraçado nome de Henomotin.

Já não há mais felicidade ou infelicidade para mim.

Tudo passa.

Apenas isso. Essa é a única coisa próxima a uma *verdade* que encontrei no mundo dos chamados "seres humanos", o inferno onde eu tenho vivido até agora.

Tudo passa.

Neste ano, completarei 27 anos de idade. Meu cabelo está completamente branco, e quem olha para mim diz que pareço ter mais de 40.

Epílogo

Não conheci pessoalmente o louco que escreveu estes apontamentos. Entretanto, conheço um pouco a personagem que parece ser a madame do bar de Kyobashi, descrita aqui. Era baixa, de compleição pálida, olhos apertados e puxados para cima, nariz empinado. Passava uma impressão dura, mais próxima de um belo jovem do que uma bela mulher. As paisagens de Tóquio evocadas nestas memórias parecem descrever a cidade em meados dos anos cinco, seis ou sete de Showa (1930/31/32). Mas foi somente por volta de 1935, quando o Exército japonês começava a agir com violência descarada, que fui levado por um amigo àquele bar, duas ou três vezes, para beber *highball*[18]. Sendo assim, não pude conhecer o homem que escreveu estes cadernos.

Entretanto, em fevereiro deste ano, visitei um amigo que fora evacuado durante a guerra para a cidade de Funabashi, na província de Chiba. Ele, que era meu colega dos tempos universitários, agora trabalha como professor de uma universidade para moças. Eu havia pedido sua ajuda

---

18. Tipo de bebida normalmente composta de uísque e soda. [N.T.]

para tratar da proposta de casamento de um parente meu e, enquanto resolvia esse assunto, pensei em aproveitar também para comprar frutos do mar frescos para minha família. Coloquei uma mochila nas costas e parti para Funabashi.

Funabashi é uma cidade grande, que fica de frente para uma baía lodosa. Meu amigo era morador recente do local, então os habitantes das redondezas não sabiam me dizer onde ficava sua casa. Além de estar frio, a mochila machucava minhas costas. Entrei numa cafeteria, atraído pelo som de violinos de um disco.

A senhora daquela cafeteria me pareceu conhecida e, após algumas perguntas, descobri que se tratava da madame do pequeno bar de Kyobashi de dez anos antes. Ela também pareceu lembrar-se de mim. Ambos ficamos exageradamente surpresos, rimos e, conforme o costume da época, falamos de nossas experiências com a devastação dos ataques aéreos, como quem se vangloria.

— Você não mudou nada — disse eu.

— Imagine! Sou uma velha. Meu corpo todo range. Você é que continua jovem.

— De jeito nenhum. Já tenho três filhos. Vim fazer compras para eles hoje.

Trocamos esses e outros cumprimentos apropriados a pessoas que se encontram depois de muito tempo, e a seguir perguntamos sobre amigos que tínhamos em comum. A certa altura, a madame subitamente mudou o tom de voz e perguntou se eu conhecia Yo-chan. Quando respondi que não, ela se dirigiu ao fundo da cafeteria e voltou trazendo três cadernos e três fotografias, que me entregou dizendo:

— Talvez isto sirva para algum romance.

Eu não sou do tipo que consegue escrever quando alguém me empurra um material, e pretendia devolver-lhe tudo ali mesmo, mas fiquei fascinado pelas fotos (como descrevi no prólogo, as três imagens eram enigmáticas) e resolvi ficar com os cadernos por ora e passar ali de novo na volta para casa. Aproveitei para perguntar se ela não sabia onde meu amigo, o professor da universidade para moças, morava. Ela era nova ali, e também o conhecia.

— Vez por outra, ele vem aqui na cafeteria — disse. A casa ficava ali perto.

Naquela noite, após beber um pouco com meu amigo, decidi pernoitar ali. Fiquei tão imerso na leitura dos cadernos que não dormi nem por um minuto até a manhã seguinte.

Os eventos relatados nos cadernos ocorreram muitos anos atrás, mas tenho certeza de que hoje em dia muitas pessoas teriam interesse em lê-los. Pensei que seria mais significativo se eu solicitasse que alguma revista publicasse os cadernos, em vez de eu tentar fazer algum tipo de melhoria por conta própria.

Os únicos frutos do mar que consegui comprar para meus filhos na cidade foram peixes secos. Coloquei a mochila nos ombros, despedi-me de meu amigo e voltei à cafeteria.

— Obrigado por ontem. A propósito — iniciei, indo direto ao assunto —, você poderia me emprestar estes cadernos por um tempo?

— Sim, claro.

— Esta pessoa ainda está viva?

— Bem, isso eu realmente não sei dizer. Cerca de dez anos atrás, alguém enviou um pacote com essas fotos e os cadernos endereçados ao bar de Kyobashi. O remetente devia ser Yo-chan, mas não havia seu endereço e nem ao menos seu nome no pacote. Durante os ataques aéreos, o embrulho se perdeu em meio a outras coisas e, por obra do destino, se salvou. Há pouco tempo, pela primeira vez, li tudo.

— A senhora chorou?

— Não, não foi bem isso... pensei que não tem jeito. Quando um ser humano chega nesse estado, não tem mais jeito.

— Se já se passaram dez anos desde então, ele provavelmente já deve ter falecido. Ele deve ter lhe enviado isso como uma mostra de gratidão. Alguns trechos podem ter sido escritos com certo exagero, porém a senhora também parece ter passado por sofrimentos terríveis com ele. Se tudo isso fosse verdade e eu fosse amigo dessa pessoa, é possível que eu também quisesse interná-lo num hospital para doentes mentais.

— A culpa é do pai dele — disse ela, casualmente. — O Yo-chan que conhecíamos era uma pessoa muito sincera, prestativa, se ao menos não bebesse... aliás, mesmo quando bebia... o menino era um anjo — completou ela.

ESTE LIVRO FOI COMPOSTO EM GATINEAU CORPO 11 POR 15 E IMPRESSO
SOBRE PAPEL OFF-WHITE AVENA 80 g/m² NAS OFICINAS DA RETTEC
ARTES GRÁFICAS E EDITORA, SÃO PAULO — SP, EM JUNHO DE 2025